D0226729

# LE CARRÉ ROSE

# Collection
# CUPIDON

## Dirigée par Pierre Genève

**4 PARUTIONS MENSUELLES**　　　　　　　　**T.T.C. 9 F.**

SERGE LAURAC

# LE CARRÉ ROSE

COLLECTION CUPIDON
EDITIONS DU PHENIX
14, rue Daniel Féry, 94800 VILLEJUIF
Tél. : 359-45-43

## DU MÊME AUTEUR

*La foire aux minettes.*
*Séance de pose.*
*A voiles et à vapeur.*
*Un drôle de cinéma.*
*Du vent dans les jupes.*
*Ghislaine.*
*J'ai deux amours.*

L'auteur précise que cet ouvrage est un roman d'imagination et que toute ressemblance entre ses personnages et des personnes vivantes ou ayant vécu, serait le fait d'une fâcheuse coïncidence.

© 1974, Éditions du Phénix.

Tous droits de traduction, d'adaptation et de reproduction réservés pour tous pays.

# I

C'était la grande dégoulinade du mois de mars, le long de la vitre, un rideau de pluie agité par le vent. Dégueulasse ! Ça n'arrêtait pas, jamais ça ne s'arrêterait ! Il n'y a plus de printemps, plus de giboulées rageuses suivies de coups de soleil acides, mais cette pluie inlassable, cette maladie chronique du temps, qui vous emplit, à la fois, de mollesse et de fébrilité.

Allongée sur le divan, face à la fenêtre, Gloria admirait l'éventail, couleur corail, de ses doigts de pieds peints d'un vernis rouge. Elle faisait jouer ces fleurs de pourpre sur champ de feuillage : un petit massif de lierre, qui grimpait derrière la vitre, sur le balcon, ses feuilles luisantes inclinées sous le déluge. C'était joli, ces pétales de sang sur ce vert sombre. Ils étaient beaux et racés, ses pieds, blancs comme des fleurs blanches :

« C'est étrange, un pied, si on y réfléchit, pensait Gloria. C'est expressif, on dirait des bêtes de race. Y'a pas, j'ai de beaux pieds ! Je comprends qu'on les aime, et, parfois même, exclusivement. Comme certains maniaques. Ce sont des artistes, ces gens-là.

Personne n'y comprend rien ! Quelle bande de cons ! »

Cette formule d'impolitesse, Gloria, dans son monologue intérieur, la réservait à une vague et innombrable humanité, constituée de tout ce qui n'était pas : les artistes !

Et Gloria s'étira voluptueusement, se cambra, enfonça sa nuque dans l'oreiller, sur la blancheur duquel se répandait la toison libre de ses cheveux roux. Le regard de ses grands yeux sombres, quittant ses rouges orteils, allèrent cueillir, dans le miroir, une autre image d'elle-même. Elle s'offrit complaisamment l'une et l'autre face de son corps, se retournant pour regarder, par-dessus son épaule, la ligne ondoyante de son dos, ses hanches galbées, ses fesses blanches, où se creusaient deux fossettes. Elle soupira de plaisir, s'étira à nouveau, et sa main s'en alla fourrager dans le bouquet roux, qui flambait au bas de l'amphore de son ventre. Elle ferma les yeux, commença à s'abandonner à la caresse de ses doigts...

Les douze coups de midi sonnèrent à une horloge voisine.

Encore un peu engourdie, après son petit « délassement », Gloria se leva et alla tourner le bouton de la télé. C'était un geste rituel, lorsqu'elle avait le loisir de paresser toute une bonne matinée dans son lit. Et Gloria devait s'avouer qu'elle avait une admirable aptitude à la paresse matinale, lorsque les circonstances le lui permettaient. Et c'était inévitable qu'à l'approche de midi, au comble de cette espèce de bien-être qu'elle ressentait, le désir, un désir vague et flou, comme une petite fièvre, la saisît. C'était l'heure de sa meilleure disponibilité, où ses sens l'habitaient, régnaient sur le royaume heureux de son corps détendu. Et il ne lui déplaisait pas de se trouver seule, à cette heure-là, justement ! Seule avec son désir. Elle était gourmande d'elle-même, parfois, Gloria. Elle jouait volontiers sa musique de chambre dans la solitude.

C'est un plaisir raffiné, pour qui sait le prendre, et s'il sait qu'il n'y est pas condamné, que ce plaisir solitaire est de son choix, de son libre choix !

Dans le petit écran, une sorte de tueur des abattoirs, aux longs cheveux crépus, se démenait et braillait. Il était vêtu d'un pantalon ultra-collant (sans doute, pour révéler aux foules enthousiastes, ses « avantages » naturels) et d'une inénarrable chemise à jabot, et à manches de dentelles flottantes. L'énergumène en délire — un torrent de sueur coulait sur son visage — hurlait des fadaises de carte postale sentimentale, et on pouvait se demander pourquoi ces platitudes versifiées avaient besoin d'une telle véhémence. C'était pitoyable !

Derrière lui, quatre zigotos, visiblement sortis d'une poubelle de bidonville, avec leurs cheveux et leurs gueules longues et sales, vêtus d'innommables oripeaux, s'escrimaient sur des batteries, des guitares, des contrebasses, débiles mentaux saisis par le délire.

« Mais qu'est-ce que ça peut être tarte, leur histoire... c'est pas possible ! » maugréait Gloria.

Et elle alla baisser le son, qui devint un murmure imperceptible. Les gesticulations des forcenés devenaient comiques dans le silence. Il faut dire que les pauvres mecs, dans la « fenêtre magique » de l'écran de télé, auraient pu rendre frigide une nymphomane patentée ! Gloria se réjouissait, dans son for intérieur, de s'être donné son épanchement solitaire avant l'irruption des convulsionnaires !

*

Au moment où commençait à défiler la vision publicitaire d'un petit enfant au cul nu, qui promenait dans l'appartement de ses « papa-maman » un interminable rouleau de papier hygiénique, deux coups discrets furent frappés à la porte :

« C'est moi... » fit une voix étouffée, qui ne voulait pas être entendue des voisins.

Gloria se leva, dans le « simple appareil », ce qui peut nous laisser supposer que le visiteur était ce qu'on appelle un familier. Elle ouvrit la porte à un beau jeune homme brun, athlétique, aux longs cheveux bouclés, vêtu d'un blue-jean et d'une chemisette flottante et déboutonnée.

« Ma chérie... »

Il la prit dans ses bras, et, après un baiser fougueux — il la ployait sous lui, la dominant —, il se déshabilla avec une agilité de prestidigitateur.

Adam et Eve... nus et beaux tous les deux, une fringale d'amour les fit se jeter sur le lit, et, immédiatement, après quelques caresses fiévreuses, comme égarées, il la pénétra, s'enfonça en elle, l'épousa profondément. De ses bras noués sur sa taille, Gloria semblait vouloir le faire pénétrer plus encore, appuyant de toute la force de sa passion.

La « petite émotion », qu'elle s'était donnée tout à l'heure, la mettait dans un état de calme, d'apaisement, qui lui permettait un plaisir venu des profondeurs, plus lent à s'épanouir, plus riche de sensations, dans la montée de la sève d'amour en elle. Qu'elle était bonne, la chaleur moite et dure de l'homme, le poids de son corps, cette force tendue, cette souple puissance étendue qui l'investissait, dans un halètement, comme si toute une vie se donnait à elle, s'incarnait en elle !

Et, pendant que l'orage du plaisir commençait à gronder, que ses ondes la gagnaient, par grandes vagues de frissons, en face d'elle le petit écran distribuait maintenant les nouvelles du jour, ou de la veille. Des ministres proféraient (sans qu'on les entendît, car le son était resté baissé) des paroles que l'on devinait définitives, raisonnables et solennelles.

Gloria apercevait leurs figures, par-dessus l'épaule de son amant enfoui en elle. Il y eut l'inévitable bombardement de Pnom-Penh, l'avion « piraté », et, tout d'un coup, ce fut Alfred qui apparut... la pluie dégoulinait sur son imperméable. L'incendie de ce qui devait être un grand magasin fumait, les pompiers s'affairaient. Alfred tendait son micro devant quelqu'un, qui devait être le capitaine des pompiers. Cette espèce de micro ovoïde, présenté ainsi à une bouche qui prononçait des paroles inaudibles, prenait, aux yeux de Gloria, un aspect obscène de phallus ! Elle eut envie de rire, alors qu'une jouissance intense commençait à battre sa chamade en elle...

De rire, oui, et de crier, en même temps. La tête lui tournait. L'orgasme la secoua, l'inonda, anéantie de bonheur sous son amant, tandis que dans le carré magique, Alfred, en gros plan, et qui semblait la regarder, tout spécialement, commentait le terrible incendie, qui était, sans doute, l'événement le plus marquant de la matinée !

C'est pendant la séquence suivante, quelques secondes plus tard, que le fougueux amant de Gloria, dans un sursaut de tout son être, inonda de son plaisir spasmodique le réceptacle de chair de sa maîtresse.

Sur le petit écran, un footballeur émérite filait un grand coup de pompe dans un ballon, qui allait, victorieusement, atterrir dans les buts ennemis.

De lents frémissements agitèrent encore un temps les amants, sur le divan où se projetait la lueur diffuse de l'écran de télévision.


Il n'y avait aucune perversité dans Gloria, vraiment, non ! Elle ne prenait pas un malin plaisir à mettre sa télé en marche, à l'heure où son amant pouvait venir la surprendre, cette heure étant celle où elle avait toute chance de voir apparaître son mari sur le petit écran. Mettre la télé à midi et demi, regarder le journal, ça faisait partie des gestes quotidiens, des habitudes. En outre, Gaston ne venait pas régulièrement la surprendre. C'était, généralement, elle qui se glissait jusqu'à son studio, un peu plus loin sur le même palier.

C'était la première fois que cette espèce de flagrant délit se produisait : son Alfred de mari surgissant, tel un diable d'une boîte, sur l'écran de la télé, pour la regarder, écrasée sous les étreintes d'un rival ! D'un rival que, d'ailleurs, il ne se connaissait pas, Alfred n'ayant jamais fait que croiser Gaston dans les couloirs, ni plus ni moins que n'importe quel autre voisin.

« A quoi tu penses ? Tu as l'air toute songeuse, tu ne dis rien, lui demanda Gaston, qui était allongé contre elle, et tenait gentiment sa main dans la sienne.

— Je ne pense à rien, mon chéri, ou plutôt : figure-toi que, tout à l'heure, il y avait Alfred, dans le journal. Je suis sûre que tu as à peine fait attention que la télé était branchée !

— C'est vrai, j'avais tellement envie de toi ! S'il y avait eu le son, évidemment. D'ailleurs, je l'aurais arrêté !

« Alors comme ça, tu es assez peu troublée, quand je te fais l'amour, que tu regardes la télé... félicitations ! fit-il, avec un air vexé.

— Tu es bête ! Comment veux-tu que je ne voie pas, avec une télé juste en face du lit ! c'est tout à fait, par hasard. Tout d'un coup, je l'ai vu : sous la pluie, son micro à la main, le pauvre ! C'est marrant, quand même, dans un sens ! fit-elle, après un petit temps de réflexion.

— Moi, je trouve ça plutôt gênant, fit Gaston, qui était sans malice.

— Ça devrait te faire plaisir, de faire l'amour à la femme d'un monsieur qui est en train de te regarder. Ça fait « glorieux vainqueur » en diable, tu ne trouves pas ?

— Tu es perverse, Gloria ! Voilà que tu y trouves du piment, de voir ton mari à la télé quand tu fais l'amour ! Je me demande si tu ne l'as pas fait exprès ! Moi, j'avoue que ça me ferait, plutôt, l'effet contraire !

— Tu es franc et loyal, comme un petit scout, mon chéri ! Je t'aime bien comme ça. D'ailleurs, je te jure que je ne l'ai pas fait exprès. De toute façon, ce n'est pas moi qui ai allumé l'incendie devant lequel Alfred bavassait dans son micro. Je ne suis pas Néron, tout de même, pour foutre le feu à la ville, et regarder l'incendie en prenant mon pied ! Ça ne va pas jusque-là, ce que tu appelles : ma Perversité !   »

Et elle rit, de bon cœur.

## II

C'est dans le doux farniente des matinées prolongées, nous venons de le voir, que les sens de Gloria s'épanouissaient le mieux. Par chance, aucune occupation sérieuse ne l'obligeait à se lever, à courir dare-dare s'engouffrer dans le métro du matin.

Heureuse Gloria : son adorable Alfred l'honorait, à la pointe du jour, d'un amour paresseux, mais convaincant, dans la tiédeur du lit. Gloria n'avait guère à ouvrir les yeux, à émerger du sommeil, pour recevoir l'hommage de son seigneur et maître. C'est dans une torpeur béate qu'elle prenait son premier plaisir, son premier bonheur du jour. Elle était comme ces fleurs rares, qui resplendissent dans l'air épais des serres chaudes.

« Alfred, mon chéri. Alfred. »

C'est dans un état de demi-conscience qu'elle se collait à l'ardeur matinale de son amoureux mari, une de ses jambes soulevée pour que s'introduise en elle la hampe de chair brûlante et dure. La jouissance naissait, montait dans tout son corps, la secouait comme une houle puissante... elle gémissait son plaisir, et retombait à un merveilleux assoupissement. Un restant de bonheur physique l'accompagnait encore dans son nouveau sommeil, tandis qu'Alfred se préparait, en faisant le moins de bruit possible, buvait en vitesse son café noir, et filait à son travail, en évitant de claquer la porte.

C'était un galant homme, Alfred !


Depuis quelques jours Gloria s'adonnait au ménage; munie d'une boîte de produit récurant, elle s'escrimait sur bidet, lavabos, baignoire, évier... tout y passait ! C'est un sourire aux lèvres, découvrant des dents éclatantes, avec des entrechats, des mines, des révérences devant son miroir, qu'elle jouait les fées du logis. On aurait dit un ballet, un petit théâtre de mime. C'en était un !

Alfred, qui trouvait sans doute que Gloria n'avait rien d'une femme d'intérieur, lui avait fait miroiter (c'est bien le mot qui convient) un flash publicitaire à la télé, vantant les mérites d'un produit d'entretien. Qui sait, c'était peut-être une porte entrouverte sur une carrière. Pourquoi pas un feuilleton, par la suite, dont elle serait l'héroïne ?

Alors, Gloria répétait, pour le plus grand bien des miroirs et des lavabos, qui n'en avaient jamais tant vu ! Et Alfred était ravi, car, au fond de lui, il adorait les femmes d'intérieur, même si elles ont une vocation artistique.

\*

Chaque grande ville de province (on dit : métro-

pole, ça fait mieux) possède un Conservatoire, et, au
moins, un cours de théâtre. Depuis quelques années,
s'y est ajouté un office de radio-télévision.

Le jeune Alfred Bouzin était né dans une
« grande métropole », que nous ne nommerons pas,
dont nous dirons seulement qu'elle est affligée d'un
assez mauvais climat, froid et pluvieux. Une vocation irrésistible pour les « belles lettres » avait fait
entrer, par l'entremise d'un oncle politicien, ce brillant jeune homme dans le journal local, où il commença, tradition oblige, par faire « les chiens écrasés ». Disons, en passant, que c'est la meilleure façon
de compromettre à jamais une carrière littéraire,
que de l'engager dans le journalisme.

De là, le vaillant Alfred fut introduit, toujours
par l'oncle politicien, au journal régional de la télévision, où il eut encore affaire avec les malheureux
et mythiques « chiens écrasés ».

Ce nouvel emploi l'amena à fréquenter un cours
de théâtre, pour y parfaire sa diction. Dame ! quand
on s'adresse ne serait-ce qu'à des milliers de téléspectateurs, il faut savoir « causer ». C'est bien la
moindre des choses ! Il faut aussi savoir choisir ses
chemises et ses cravates... c'est très important !

C'est justement la splendeur d'une cravate large,
ferme et multicolore, sous le menton imberbe d'Alfred, qui attira l'attention, un jour, au « cours Ro-
muald Juby », de la belle, de la ravissante Gloria,
qu'il avait déjà remarquée, lui, Alfred.

« Il a une cravate impressionnante, ce garçon !
Qui c'est ? se dit la belle fille. Il n'est pas mal,
non plus. Il a l'air intelligent. Ces types à l'air

futé, pas très grands, sont souvent des amants agréables. »

Les psychanalistes, qui sont des gens pervers, il faut l'avouer, font de la cravate masculine un symbole sexuel caractérisé. Même ne le sachant pas, Gloria en eut peut-être l'intuition. Une fois faite la connaissance de son condisciple en déclamation, elle aurait pu penser que les symboles contiennent parfois une grande part de vérité cachée. La nature avait, en effet, doté Alfred Bouzin d'une virilité de la grande espèce, à la mesurer prosaïquement en centimètres, et d'un tempérament adéquat, ce qui ne gâchait rien !

Ce fut l'amour !

Alfred avait eu des aventures féminines, avec des petites camarades, des dames d'un certain âge aussi, qui ont toutes les complaisances pour les jeunes gens doués par la nature, quand il leur en tombe sous la main. Ce sont d'excellents professeurs de tendresse, et de bonnes manières... sexuelles, bien entendu !

La réputation de la « grande métropole » n'est plus à faire, d'ailleurs. Les raffinements érotiques vivent là dans leur climat naturel, semble-t-il, en bonne intelligence avec une gastronomie de bon aloi, qui est une spécialité du cru. Seulement, si Alfred avait beaucoup butiné l'amour, les amours, il n'avait pas encore rencontré cette entente profonde des corps qui semblent destinés l'un à l'autre de toute éternité, cet appel irrésistible de la chair de l'autre, comme une fatalité, comme un coup du destin.

C'était Gloria qui lui était destinée; il le sentit

d'emblée. Elle fut son obsession, l'image de son corps le hantait, des journées durant, pendant son travail. Pour un peu, il aurait commis des lapsus fâcheux, lorsqu'il commentait au micro, sous l'œil flambant des caméras, les événements de la région.

Ils empruntèrent, Gloria et lui, les chemins de l'érotisme, parcoururent en tous sens le paysage de leurs corps juvéniles, inlassablement. Gloria avait une santé « sexuelle » florissante, son corps « répondait », de façon admirable aux caresses de son Alfred. Le plaisir s'épanouissait et renaissait en elle, comme une fleur magique, comme un fruit constamment en train de mûrir, de se gonfler de sève, dans une éternelle germination de paradis terrestre.

Seulement, elle avait moins, Gloria, le sens du destin que son amant, elle était moins romantique, moins capable de passion. Elle dévorait l'amour à belles dents, comme elle aurait fait d'un repas fin; cela la comblait, la remplissait d'aise, lui donnait de belles couleurs, un parfait et serein équilibre.

Elle s'aimait, Gloria, et se vouait à sa propre gloire; d'où ce prénom qu'elle s'était choisi, car elle s'appelait tout bonnement Germaine Dupont, pour ne rien vous cacher.

Elle avait vécu son enfance auprès d'une mère veuve, qui vivait de ressources inavouables, c'est-à-dire : de ses charmes, ce qui lui donnait une certaine aisance, mais pas la fortune, car elle était sans ambition.

Ainsi, la petite Germaine avait eu une enfance

douillette, mais humiliée : une maman putain, même si elle exerce discrètement, est toujours, plus ou moins, un poids d'opprobre pour son enfant. Les copines d'école n'évitent pas au contraire, les allusions perfides à ce que peut faire la maman de leur petite camarade sans père : on chuchotait, dans le quartier. Germaine dut défendre l'honneur de la famille, se battit, revint à la maison avec un œil au beurre noir et des griffures sur les joues, pleurant, trépignant, et insultant l'auteur de ses jours, la traitant de catin, de morue, certains jours, c'était infernal !

Un beau soir, madame-mère partit, mystérieusement, laissant sa progéniture aux bons soins d'une sœur, qui était « convenable », elle, c'est-à-dire : emmerdante comme la pluie ! Germaine vécut de bric et de broc auprès de cette tante acariâtre, qui la mortifiait. Elle se dépêcha, dès qu'elle eut fait la conquête d'Alfred, de quitter ce qui lui tenait lieu de foyer, en claquant la porte :

« Tu finiras comme ta mère : sur le trottoir ! » lui cria la tante, en guise d'adieu.

Ces insultes passèrent par-dessus la tête de Gloria, qui souriait à son bonheur, à ses ambitions, à sa gloire future.

Elle alla crècher dans une chambre, sous les toits, comme il convient, et paracheva la conquête d'Alfred.

Paris brillait aux yeux de leur imagination, dans le lointain.

Ils ne tardèrent pas à y partir.

Comme le poisson parasite dans le sillage de son requin, Alfred suivait la progression de son oncle politicien dans la carrière. Cet oncle n'était pas un requin, lui, mais seulement un brave homme bonasse, malin et beau parleur. Il naviguait paisiblement dans les eaux du parti au pouvoir, ce qui l'amena, tout naturellement, à occuper un siège à la Chambre. Il n'y brillait d'aucun éclat, mais s'y perfectionnait dans la pratique des « affaires ». Ainsi, son neveu, qu'il avait en affection, put « monter à Paris ».

Il amenait Gloria dans ses bagages.

Paris les « prit dans ses bras », et les logea au cœur même de son être de pierre et de béton, à quelques pas de la rue La Fayette, à l'endroit où le fleuve d'acier motorisé de la circulation roule avec le plus de densité et de violence, dans un vacarme à faire perdre la tête aux plus solides. Ils rayonnaient de bonheur, dans leur petit studio (une chance de l'avoir trouvé, grâce à une relation de l'oncle, évidemment).

Depuis trois mois qu'ils étaient là, Alfred ne rentrait que le soir, ou tard dans la soirée, selon les jours, les exigences de la télé. Il était harassé. Sa fougue amoureuse, hélas, s'en ressentait !

Gloria avait, elle, toute latitude de se détendre, et de baguenauder. Elle donnait une dizaine de répliques, le soir, dans un café-théâtre de Saint-Germain-des-Prés, où elle faisait ses premiers pas dans la dure carrière des planches.

Alfred prenait plus volontiers le métro, qu'il préférait à l'autobus, lequel est la proie des embouteillages et des simples feux rouges. Il ne connaissait pas son bonheur, Alfred, d'avoir à emprunter le métro. Il rêvait, comme beaucoup, à la petite automobile qu'il aurait bientôt, sans doute, et qui le libérerait de son humiliation. Il jugeait humiliant d'avoir à prendre le métro. A son insu, pourtant, il goûtait le privilège de pouvoir rêvasser à l'aise pendant le parcours, de n'avoir pas à finir de se détruire les nerfs, un pied sur l'accélérateur, l'autre sur le frein, dans la cohue des bagnoles, qui menacent à chaque instant de se télescoper.

Heureux Alfred ! Il pouvait poursuivre un monologue intérieur, dans son métro, assis ou debout, selon les heures. Assis, c'est mieux. Debout, ça n'est pas mal, non plus. Surtout si, aux heures « de presse », on est collé, aplati, contre une belle personne qui sent bon — il y en a, dans le métro — et surtout si c'est l'été, ou le printemps. Alors, la jeune personne est légèrement vêtue, ses rotondités voilées d'un mince nylon. Elle peut sentir, écrasée contre vous, sa nuque à hauteur de votre respiration, la dure et brûlante « émotion » que le contact avec son ferme postérieur fait naître en vous. Il arrive même qu'elle se retourne vers vous, avec un petit air complice, qui semble vouloir dire, hypocritement :

« Je m'excuse de vous écraser ainsi, mais je n'y puis rien ! »

Mais vous n'êtes pas dupe. Vous savez que votre involontaire hommage ne déplaît pas à la mignonne. Comme vous savez que vous êtes, plutôt, « joli garçon », comme on dit, c'est peut-être le début d'une aventure... qui sait? Il vous suffirait de suivre, de filer le train à la belle. Mais vous avez une Gloria, qui vous attend à la maison. Elle profitera de l'émotion que la séduisante inconnue du métro a provoquée en vous ! La « vie conjugale » a parfois besoin de ces petites aides extérieures, pour se vivre dans une glorieuse, dans une érectile sérénité !

Ce soir-là, après douze heures d'agitation démente dans les studios de Cognaq-Jay, Alfred, sagement assis sur une banquette, n'avait que des pensées moroses en tête, et, en face de lui, une vieillarde à la figure agitée de tics nerveux ahurissants. Ce spectacle n'était pas fait pour le distraire de sa mélancolie hargneuse, au contraire !

« Quel con je fais, ma parole, mais quel con ! » monologuait-il, à l'intérieur de lui-même, en s'appliquant à garder sur son visage le masque d'ennui hébété, qui est celui du Parisien, dans le métro ou ailleurs.

« Mais, quel con ! C'est pas possible, pas possible ! J'aurais mieux fait de rester à X..., peinard, tranquille. Au lieu de venir me plonger dans ce bain de dinguerie, avec tous ces gars qui ne cherchent qu'à me faire des avanies, à m'accabler de toutes les corvées, à me tendre des pièges, les bandes de vaches ! Evidemment, je suis le neveu de l'oncle Félibien, je suis à la Télé par protection, ça ne plaît pas, et on sait me le faire sentir ! Je ne tiendrai pas le coup, c'est trop dur ! »

Pauvre Alfred ! Il était en butte à l'hostilité des journalistes, ses confrères. Il le sentait bien, essayait de les amadouer, à force de bonne volonté. Par moments, il se sentait, littéralement, accablé, écrasé, au bord de la dépression.

Ce qu'il ne s'avouait pas, pas clairement, du moins, c'était que sa baisse de tension amoureuse l'inquiétait encore plus. Ce ne sont pas des choses que l'on sait regarder en face, à vingt-cinq ans ! Alors, il se jouait à lui-même la grande séquence de la jalousie :

« On n'est vraiment cocu, pensait-il, que lorsqu'on est marié. Marié ! En voilà encore une invention... marié contre le gré de l'oncle Félibien, et de ma mère, qui se morfond ! Marié sur un coup de tête, comme ça, une folie ! Comme si j'avais voulu m'attacher Gloria, prendre une garantie ! C'est juste le contraire, je commence à m'en apercevoir.

« Une fille qu'on n'épouse pas, elle se raccroche, elle a toujours peur d'être virée : alors, elle se tient à carreau. Tandis que mariée, pfuitt ! C'est la sécurité, le confort, l'homme qui bosse pour elle, qui s'épuise, oui, qui s'épuise ! »

Là, il ne put plus se cacher que sa « baisse de tension » était une chose affreuse : évidemment, un boulot qui vous tient douze heures par jour, les nerfs, l'usure, le climat d'ici, la pollution ! tout ça !

Pauvre Alfred ! Le vacarme de la rame de métro dans le tunnel, ses brusques saccades, ses tournants qui vous jettent à droite, à gauche, c'était le climat rêvé pour y mâchonner des angoisses, des rancœurs, des appréhensions.

C'était son idée fixe, maintenant : Gloria le trompait ! Elle avait toutes ses journées, quasi libres. Et son tempérament amoureux ! Alors que lui, l'absent, lorsqu'il revenait, c'était dans l'état de quelqu'un qui aurait marché trente-six heures sous les bombardements, pendant un exode, éreinté, à bout de nerfs, avec un grand œil éteint, où le malheur mettait des cernes, une bouche amère, un front barré : le bel amoureux qu'il offrait là à Gloria !

Alors, évidemment, avec ses petits copains du cours, ou du café-théâtre, elle ne devait pas se priver, Gloria, telle qu'il la connaissait.

Il ne pouvait pas savoir que huit sur dix des jeunes gens qui fréquentaient le cours et le théâtre, étaient des invertis convaincus, auprès desquels le charme et la beauté d'une femme n'avaient aucune chance d'exercer leurs ravages; ni que Gloria, d'instinct, préférait ne pas mélanger le travail et le plaisir. Pour celui-ci, nous le savons, elle s'y consacrait en compagnie d'un voisin de palier, qui n'avait rien à voir avec le théâtre, et qu'Alfred croisait parfois dans les couloirs.

Comment aurait-il pu deviner, Alfred, sa jalousie battait la campagne.

Que faire ? Il raisonna : il fallait arracher Gloria à son café-théâtre, à son cours. Il fallait qu'elle travaille à la télé. Là, il pourrait la contrôler, et, surtout, jouer l'homme indispensable, à qui elle devrait tout, sans qui elle ne pourrait rien.

Alors, quand sa « dépression » serait passée — car

elle passerait bien, voyons ! — ses forces revenues, il
la retrouverait, sa Gloria ! Ils retrouveraient leur
amour, ils seraient à leur zénith, de nouveau !

C'était un imaginatif, Alfred, aussi prompt parfois à s'emballer qu'à se décourager. C'est avec un
visage rasséréné, une chaleur de bon augure au
cœur, qu'il allait regagner le logis conjugal. Un bon
William Lawson's en arrivant, et il serait le vaillant
Alfred de toujours, dans les bras de sa petite femme
aimée ! Pour un peu il aurait souri à la vie, à la
vieille dame agitée de tics nerveux, qui branlait de
la tête en face de lui.

## III

PENDANT que son Alfred de mari méditait dans le
métro, Gloria, de son côté, revoyait un peu, dans sa
tête, sa situation particulière, faisait le point.

« Inutile, pensait-elle, de se dorer la pilule. » Les
quelques répliques qu'elle donnait, le soir, au café-
théâtre « d'avant-garde », c'était vraiment un peu
trop modeste, un peu maigre, comme début. Ça
n'était pas encore ça qui la mènerait où elle voulait.
Et ce qu'elle voulait, Gloria, c'était la griserie du
succès !

« Il y a loin de la coupe aux lèvres, se disait-elle,
découragée. Si je me suis crue « née pour le succès », eh bien ! c'est un drôle d'accouchement !
Mince, alors ! Il faudrait y aller au forceps ! Balancer mes trois conneries, le soir, devant quatre pelés
et un tondu, dans ce bistrot minable et prétentieux,
il n'y a pas de quoi pavoiser ! »

Pauvre Gloria, elle ne savait pas qu'elle se trouvait dans la situation des neuf dixièmes, au moins,
des jeunes gens arrivés à Paris d'une lointaine pro-

vince, voire d'une proche banlieue, chargés d'une noble ambition artistique. Paris vous les broie, vous les éreinte, vous leur tape sur la tête, c'est effrayant ! Ceux qui résistent, c'est comme la sélection naturelle, ils sont costauds, résistants, coriaces, de l'acier trempé. Et ça les rend drôlement méchants, parfois, certains presque tous, des vraies teignes, que c'en est un plaisir, si je puis dire ! Comme l'insuccès aigrit son monde, en fait d'affreux envieux, des jaloux tout racornis, il faut avouer que le spectacle des milieux artistiques n'est pas particulièrement réjouissant !

Gloria commençait à deviner ça, à faire d'amères constatations, et ça n'allait pas sans l'attrister. Surtout en fin de journée. Alors, elle s'allongeait sur le lit, fumait cigarette sur cigarette, une bouteille de William Lawson's à portée de la main, c'était sa consolation du voyageur, le whisky, aux étapes de ce rude chemin dans lequel elle s'engageait.

Enfin ! un pas dans le couloir, un pas bien connu : c'est Alfred ! Ça fait du bien, tout de même, l'arrivée d'un petit mari, quand on a le cafard, même si le petit homme chéri est un peu fatigué par le boulot et les soucis, même s'il n'est plus tout à fait « le gaillard d'avant », si l'on peut dire, même s'il n'a plus ce bel et constant enthousiasme des débuts, qui faisait que sa petite femme chérie enlevait prestement sa culotte, dès qu'elle entendait son pas dans l'escalier, avant même qu'il ait introduit sa clef dans la serrure !

Il avait meilleure figure, ce soir, que les jours pré-

cédents, Alfred. Gloria le remarqua, dès qu'il eut
franchi la porte :

« Ça va, mon chéri ? Je me languissais de toi. Tu
as bonne mine... viens m'embrasser.

— Je viens t'embrasser, j'accours, je vole ! Et
même que je vais t'embrasser mieux que ça, fit Alfred, avec un œil brillant de convoitise, mieux que
ça ! »

Gloria n'avait pas de culotte sous son kimono
d'intérieur. Alfred plongea, littéralement, sa figure
au centre des cuisses superbes, goulûment, comme
un voyageur se jette à plat ventre pour boire à la
source qu'il découvre, après une journée de marche
sous le soleil qui lui a fait le gosier sec.

C'est comme s'il avait bu à une fontaine de jou-
vence, Alfred : il sentait ses forces renaître, une
dure et brûlante émotion se tendre au centre de son
être. Alors, il s'allongea sur Gloria, une Gloria toute
humide et palpitante encore de plaisir, et il plongea
en elle, avec une ardeur toute neuve, toute renouve-
lée !

« Hé bien, mon chou, il va falloir que je me tire,
fit Gloria, tu m'accompagnes ?

— J'peux pas, j'ai un truc à rédiger pour demain.
Ils me tueront, ces vaches-là. On n'arrête jamais,
dans cette boîte ! Enfin, aujourd'hui j'ai eu une
journée à peu près tranquille. J'ai collecté des infor-
mations, trié là-dedans, un boulot de bureaucrate. Il
faut s'y faire !

— Hé bien, moi, je vais aller me traîner sur mes

planches. Ça commence à me faire mal aux fesses, leur mimodrame à la con ! »

Et, sur ces paroles désabusées, Gloria, après l'avoir embrassé, quitta son petit Alfred, qui venait de si gentiment l'honorer de ses ardeurs revenues, après sa « dépression » momentanée.

« Ouf ! fit le héros ragaillardi, une fois sa moitié partie. Ouf ! enfin seul ! »

Il commettait une petite trahison, une trahison bénigne, Alfred, envers son épouse. Il avait envie de baguenauder un peu, tout seul, ce soir. Comme ça, pour rien, pour le plaisir d'être un peu seul. Il n'avait rien à faire, il « en avait menti ! ». L'indépendance, tout de même, ça tient solidement au cœur de l'homme, il faut croire, même du plus fidèle, du plus attaché. Alors, on se donne un peu d'air, comme ça, très innocemment, une petite bouffée de solitude. On va arpenter le boulevard, en bayant aux corneilles, en regardant le spectacle de la rue, les jolies filles. Pas de quoi fouetter un chat !

Par la rue La Fayette, Alfred déambula jusqu'aux Galeries du même nom. Le temps de cette fin de mars était devenu doux, tout d'un coup. C'était presque le printemps, maintenant. On ne le goûte jamais mieux que dans la soirée, à Paris, lorsque la circulation s'est ralentie, que les larges trottoirs sont libres des piétons affairés de la journée, maintenant en train de s'abrutir, le ventre lourd, la tête molle, devant leur télé. Ça devient presque humain, presque aimable, Paris.

Il y a les vitrines illuminées des Galeries, du Printemps.

Les merveilleux artistes qui fabriquent les mannequins des grands magasins se sont surpassés, cette année : les jeunes femmes de matière plastique, leurs compagnons, ont du style, de l'élégance. Elles ont l'air un peu droguées, les figures de cire de ce musée Grévin du commerce : en extase, avec de grands yeux dévorés de mélancolie, des bouches saignantes dans des visages très pâles. Il se dégage d'elles une impression de trouble érotisme. Leurs équivoques compagnons ne sont pas faits pour dissiper le charme, au contraire.

C'est très ressemblant, tout ça; ressemblant à l'humanité sophistiquée des jeunes d'aujourd'hui, à ce qu'ils voudraient être, du moins. Ou, alors, ce sont les jeunes qui prennent modèle sur les mannequins, qui, eux-mêmes, s'inspirent des stars et des covergirls, et s'efforcent de créer un type humain en quoi puissent se reconnaître les jolies filles et les garçons de la rue... C'est un cercle vicieux, quoi !

Un peu plus haut dans la rue que, machinalement, emprunta Alfred, il aurait pu sembler que les mannequins pétrifiés des vitrines eussent été transportés sur le trottoir, soudain doués de vie. L'impression était étrange : en haut, dans le passage vitré qui traverse la rue, à hauteur du premier étage, des élégantes immobiles dans une lumière de néon, avaient l'air de figurer les constellations d'un ciel symbolique et théâtral. En bas, des tapineuses aux aguets, plantées au carrefour, paraissaient à peine animées — entre l'être et le non-être — à l'étal elles aussi, avec les mêmes bouches sanglantes, le même teint blafard, les mêmes yeux cernés et fixes. Elles avaient des jupes ultra-courtes, de belles jambes gainées de bottes souples, parfois. Elles se tenaient déhanchées, appuyées à leur coin de rue, figurantes d'un cinéma irréel.

Alfred ressentait, à leur vue, une imperceptible émotion, une attirance incertaine, qui n'osait pas s'avouer.

Il n'avait jamais aimé les putains, mais ressenti un certain plaisir à les voir en faction, la nuit, au coin des rues, sentinelles à la porte de ces hôtels de passe, qui sont des casernes, si l'on y prend garde : on y fait l'exercice, dans ces refuges de l'amour vénal, la jeunesse s'y forme, y apprend la vie, du moins elle le croit.

Il ne devait pas avoir l'air d'un client, Alfred, car ces dames n'insistaient pas auprès de lui, ne se proposaient que pour la forme, sans aucune conviction.


Sur le terre-plein de l'Opéra, où l'avait mené sa flânerie, il rencontra l'oncle Félibien.

« Tiens, fiston, fit le député en le voyant, tiens. On peut dire que le monde est petit. Qu'est-ce que tu fais là ?

— Je me promène. Il fait beau, alors j'ai eu envie de prendre le frais. C'est le seul moment où on puisse promener tranquillement, le soir.

— C'est bien vrai ! Comment va Gloria ? Je t'invite à prendre un verre au *Café de la Paix*, d'accord ? »

L'oncle Félibien se donnait, plus qu'il ne les avait, des airs de notable. Un peu de ventre, une grande taille, une figure molle sous une calvitie « distinguée » l'aidaient à jouer ce rôle. Il avait le geste rond et large, la voix haute et grave, à la fois. Il y avait quelque chose, en lui, d'assuré et de confortable, qui impressionnait agréablement.

Son neveu l'aimait bien, mais avec une certaine déférence, de la retenue. Il n'était jamais tout à fait à l'aise avec l'oncle Félibien. Leurs rapports étaient, tout de même, excellents, c'est-à-dire conventionnels, académiques. Leurs conversations, qui ne sortaient jamais de la banalité, avaient de la peine à se maintenir. Alfred avait toujours l'impression fâcheuse qu'un silence allait s'établir, dont il ne pourrait pas sortir, les mots ne lui venant pas. L'oncle se chargeait, heureusement, de dévider des propos oiseux, de combler les vides qui menaçaient de s'installer.

« Il comble les vides de la conversation avec du vide, pensait Alfred, ça doit être l'habitude de parler en public, quoique j'ai bien peur qu'à la Chambre on ne lui laisse guère l'occasion de débloquer. Il doit, plutôt, jouer les figurants, mon brave oncle ! »

Enchaînant sur ces pensées, peu flatteuses pour le prestige de l'oncle Félibien :

« Vous devez en avoir un boulot, à la Chambre, avec tous ces événements. »

— La situation est préoccupante, certes ! Mais je vais te dire, tout à fait entre nous (tu le sais, d'ailleurs, comme tout un chacun) : la politique se traite en haut lieu, exclusivement. Secret d'Etat, à tous les étages ! Jusqu'au moment où on annonce les décisions. Moi, en ce qui me concerne, je me considère comme le député de X... Je m'occupe des affaires de ma région. A chacun sa tâche, à chacun de la faire le mieux qu'il peut. C'est encore la meilleure façon de faire marcher le pays dans la voie du progrès. »

Comme on le voit, l'oncle Félibien ne craignait pas de s'aventurer dans les généralités, voire les lieux communs. Il planait, secret et hypocrite, comme le sont, en règle générale, les habitants de sa chère « région ». Il ne touchait jamais un mot de ses affaires, qui étaient, véritablement, des « affaires », au sens le plus courant du terme.

« J'aime bien le *Café de la Paix*, continua-t-il, pour faire diversion, on se croirait à une autre époque, là-dedans, l'époque des grandes cocottes, des derniers équipages. Cette grande femme qui passe, elle est superbe ! Quel chic ! Ça doit être une Américaine.

— Sans doute une Américaine, en effet. Elle est belle !

— Sacré Alfred ! Je manque à tous mes devoirs, en te faisant remarquer les jolies femmes qui passent. C'est que tu es un homme marié, un type sérieux ! Moi, vieux célibataire, je peux me rincer la prunelle, ça m'est permis. »

Il disait cela en clignant de l'œil, d'un air jovial et vaguement moqueur.

« Paris, reprit-il, c'est tout de même incomparable, même si on s'y ennuie un peu, ce qui est mon cas. Quel spectacle ici, malgré tout. Malgré l'époque, qui est bien terne, il faut l'avouer. Ah ! si tu avais connu les dernières années de l'entre-deux-guerres, fiston ! Il y avait encore de l'élégance, du goût à vivre. C'était pourtant une époque troublée, mais c'était autre chose que maintenant.

— Oui, dit Alfred, je le crois volontiers. Maintenant, surtout ici, à Paris, on n'a le temps de rien. On se tue au travail. On finit par trouver que rien n'a de saveur.

— Et pourtant, nous vivons une période fabuleuse. Tout change, tout bouge. On va dans la lune, bientôt dans Mars. Et les femmes sont de plus en plus belles, et de plus en plus faciles ! »

« Sacré Félibien ! » aurait pu lui dire son neveu. Il passait de la bouffée d'optimisme de « l'homme de progrès » à la gaillardise du célibataire âgé, mais « encore vert », avec une désinvolture qu'il devait juger très parisienne.


En matière d'art, l'oncle Félibien avait le goût désuet et académique. Comme ils passaient le long de l'Opéra — l'oncle faisait « quelques pas de conduite » à son neveu — le député ne put s'empêcher de s'arrêter, pour contempler les belles femmes de bronze, porteuses de lampadaires, qui ornent le pourtour de l'édifice :

« Hein, fiston, quelle plastique, ces bonnes femmes, quelle grâce ! Elles ont des formes pleines et voluptueuses, ces sacrées statues. Je me demande s'il y a un seul sculpteur, aujourd'hui, qui saurait faire ça. Ça agrémente, quand même, un peu mieux les cités, ces statues-là, que leurs abstractions, non ?

— Bien sûr ! C'est « Titch » en diable, ces bronzes-là. Ça parle du bon vieux temps, du temps des cocottes », soupira Alfred.

Ils se séparèrent. Alfred regagna son studio : il attendrait Gloria à la maison. Il n'avait aucune envie d'aller se pointer au café-théâtre.

Il se trouvait las, à nouveau, comme si tout le poids énorme d'un Paris endormi lui pesait sur les épaules.

L'oncle Félibien regarda s'éloigner son neveu sur le trottoir de la rue La Fayette, et, après un temps de réflexion, semblait-il, il fit, pour son compte, le trajet qu'avait parcouru Alfred, une heure plus tôt. C'est dire qu'il gagna, à pas lents de flânerie, la rue sans joie garnie de péripatéticiennes, qui s'ouvre entre les deux corps de bâtiment du Printemps.

M. Félibien avait un goût marqué pour les putains.

Ce n'est que dans la compagnie de ces êtres sans complication, mais tout de complaisance, qu'il se sentait à l'aise et laissait « parler sa nature ». Les femmes ordinaires, non patentées, si je puis dire, devaient l'intimider, au fond, bien qu'il ne se l'avouât pas.

C'est mystérieux, le goût pour les prostituées qu'ont certains messieurs qui pourraient très facilement trouver des amours plus relevées. D'où peuvent bien provenir cette timidité, cette sorte d'anxiété paralysante, qui font que certains jeunes gens louent les services de femmes vénales et expérimentées, affolés qu'ils sont devant les jeunes filles, les jeunes femmes de leur milieu ?

Celles-ci leur paraissent, peut-être, trop semblables à une mère vénérée, dont la beauté a ébloui leur enfance ? Les « marginales » les attirent, sans doute, par ce qu'elles affichent d'impureté provocante, et de facilité. Ils se livrent à elles non sans un peu de dégoût, les premiers temps, pour surmonter leur timidité, tenter de s'en délivrer. Et il leur arrive de se fixer à ce goût, auquel ils retournent lorsque, leur timidité vaincue, une assurance acquise leur a donné toute liberté d'aller ailleurs, à des amours claires et avouables. En un mot : ils ont un « vice », dont ils s'accommodent plus ou moins bien.

M. Félibien semblait s'en accommoder assez bien, lui, à en juger par l'allure décontractée avec laquelle il se dirigeait vers le carrefour du « marché aux esclaves », les mains derrière le dos, sans se presser.

Il lui était arrivé de tâter des courtisanes motorisées, qui circulent dans les petites rues autour de la Madeleine, à vitesse réduite au volant de leurs autos. Il avait apprécié, comme il se doit, la virtuosité des bouches de ces amazones, l'automobile arrêtée dans un coin d'ombre du bois de Boulogne. Mais cet inconfort d'amours, finalement, hâtives, ne l'avait pas retenu. Et il avait dû s'avouer qu'au fond, tout au fond de lui-même, il trouvait ces vénales automobilistes trop « chics », trop élégantes, trop semblables à de vraies Parisiennes.

Il lui fallait le piment frelaté des braves tapineuses, la vulgarité caractérisée de ces femmes qui pro-
clament leur état par des fards outranciers, et un
« je ne sais quoi » d'affaissé, de veule, dans ces fruits
blets, ou en train de blettir.

Il aimait aussi les hôtels borgnes, leur inconfort
de mauvais goût, leur faux confort sordide. Ces
chambres de passe sont les salles d'attente de ces piè-
tres embarquements pour Cythère, que sont les
amours tarifées.


« Te v'là, mon gros, ça va ? »
Il s'était approché d'un couple de tapineuses,
qui grillaient une cigarette sous un réverbère.
L'une des deux semblait le connaître. Elle s'avança
vers lui. C'était une femme plus très jeune, encombrée d'un certain embonpoint, qu'elle ne songeait
pas à dissimuler. Bien au contraire : une mini-
jupe au ras du derrière, un corsage largement dé-
colleté, tendaient à le mettre en évidence. Une
chevelure d'un roux tirant sur l'orangé flamboyait
aux feux du réverbère. La grande bouche, au des-
sin non sans beauté, était une provocation, que des
yeux verts cernés d'un noir épais accentuaient encore.

« Il fait bon, ce soir. Je fais un petit tour, fit be-
noîtement M. Félibien, en réponse au salut de la
« dame de petite vertu ».

— Il fait encore meilleur dans mon lit, mon gros
poulet, tu ne crois pas ?

— Mais oui, mais oui », bougonna le député.

Il avait avisé du regard une superbe et longiligne négresse, qui, dès l'abord, aurait pu se confondre avec le mur contre lequel elle s'adossait, de l'autre côté de la rue.

« Qui est cette belle Martiniquaise ? demanda-t-il d'un air faussement indifférent, c'est une copine à toi ?

— Je la connais. Elle est gentille, tu ne vas pas me tromper avec Solange — elle s'appelle Solange — ça n'serait pas chic : n'oublie pas que tu es « mon pays ». »

La grosse rit bêtement, en disant : « mon pays ».

« Elle a l'air intéressante, cette belle mulâtresse, on pourrait l'inviter à prendre un verre avec nous, on bavardera.

— Dis carrément que tu as envie qu'elle monte avec nous, vieux cochon ! Si c'est que de ça, ça peut se faire. J'suis pas bégueule, et puis, comme ça, tu ne me trompes pas, ensemble tous trois. »

Elle gloussait d'un rire étouffé.

Elle fit un signe à la grande fille noire, qui traversa la rue, en se déhanchant, roulant du bassin, un sourire « coquin » découvrant des dents de cannibale.

« Ça va, Aïda ? *bonsoi monsieu* », fit la belle plante de chair noire.

Hé oui ! La rousse plantureuse, « payse » de M. Félibien, s'appelait Aïda ! elle s'affublait de ce nom de guerre théâtral ! Et la native des Iles se nommait, tout bonnement : Solange. Ce qui faisait un double dépaysement, en quelque sorte.

Le trio, après quelques mots échangés, s'engouffra sous le porche du plus proche hôtel borgne.

Félibien, lorsqu'il était petit garçon, avait montré du goût pour les arts. C'est ainsi que, vers sa douzième année, il avait fait l'emplette d'une reproduction de l'Olympia de Manet, dont le sujet, plus que la facture, sans doute, l'avait ému.

Cris d'une mère indignée, béotienne et incompréhensive :

« Petit malheureux, tu vas m'enlever bien vite cette ordure ! Il a mis ça au mur de sa chambre, le cochon ! Les yeux tout cernés, qu'il a, pardi ! Déjà vicieux, à son âge, c'est-y Dieu possible ! »

Une bonne beigne, à retourner la tête du jeune amateur d'art, avait accompagné l'algarade maternelle.

C'est triste, de naître dans une famille bien pensante, sans ouverture sur : la Culture !

Félibien, carré dans un fauteuil, repensait, peut-être, à cette Olympia de Manet, en contemplant d'un œil allumé le « cinéma », que lui faisaient les deux péripatéticiennes.

La sombre Solange dévorait les charmes secrets d'une Aïda haletante et frémissante, sur le dessus de lit douteux. On aurait dit d'un festin cannibale : naufragée sur un rivage de pacotille, une belle rousse aux chairs laiteuses est mangée toute crue par une sauvagesse en délire, c'était exquis !

L'oncle Félibien amena son enthousiasme, et sa

lourde personne, sur la vaste couche où s'ébrouaient les deux mercenaires.

Il y organisa des divertissements savants, laborieux, et teintés d'exotisme.

Plus tard dans la nuit, Félibien regagnait, les jambes un peu molles, la tête agréablement vide, son appartement, qui était situé entre l'Opéra et la rue de Rivoli. Il promenait avec lui l'image suggestive de ses deux compagnes de jeu, leur parfum trop fort, l'arôme plus insidieux de leurs chairs.

« Je suis un artiste, dans mon genre, monologuait le brave homme, un homme libre de préjugés, un esthète ! »

Il avait ainsi, dans des circonstances précises et spécieuses, besoin de toute son approbation bienveillante envers lui-même.

Un cinéma de l'avenue de l'Opéra affichait CRIS ET CHUCHOTEMENTS, de Bergman.

« Il faudra que j'aille voir ça, pensa Félibien, on en dit grand bien. Le sujet m'a l'air un peu scabreux ! »

Et, tout d'un coup, il se prit à rire, intérieurement, car une sorte de lapsus venait de le surprendre. Il avait, l'espace d'une seconde, lu CRIS ET SUÇOTEMENTS ! comme si sa lecture du titre avait été affectée d'un défaut de langue :

« CRIS ET SUÇOTEMENTS, c'est marrant ! »

Et il revoyait les deux ménades tarifées de tout à l'heure. Elles en « avaient remis », pour le client sérieux, simulant des transports « en commun », si je puis dire, à la limite de la pamoison, du cri, du râle !

« Ah ! les gaillardes, les gaillardes ! »

Il savait bien que c'était de la frime, les élans des deux « amoureuses ». De la frime, oui, comme au théâtre, ou au cinéma : on sait bien que ça n'est pas « pour de vrai », et, pourtant, on marche, on palpite, on est dans le coup !

« C'est de l'art, pensait le député, de plus en plus satisfait de lui... de l'art ! Je fais de la vie un spectacle, une apparence. Je sais que c'est ça, et pas autre chose. Une certaine façon de prendre du plaisir, de l'organiser, ce plaisir, c'est : de l'ART ! Je suis un ARTISTE ! »

Il aurait pu ajouter : je suis un « esthète de l'art ». Mais il ne connaissait pas ce superbe calembour, cher aux élèves des Beaux-Arts.


Il avait bien besoin de toute cette faculté d'illusion sur lui-même, le député, pour se dissimuler ce qu'il pouvait y avoir de petit-bourgeois dans cette espèce d'attachement qu'il prenait pour la grosse Aïda. Même si, comme ce soir, il lui adjoignait les services d'une esclave noire, un peu comme on engage une femme de ménage, ce début de liaison prenait des allures bien « pantouflardes », popote, et coin de feu !

Il aimait les femmes en chair, Félibien, et puis, d'avoir découvert qu'Aïda était sa « payse », ça le mettait à l'aise. Et aussi, le côté « brave fille » de la tapineuse. Il n'y a pas à dire, retrouver l'accent du

terroir, chez une personne de rencontre, pouvoir
parler de « sa ville » à un compatriote, c'est toujours
agréable. C'est un peu comme ces Français qui se
rencontrent à l'étranger: d'instinct, ils font groupe,
s'attendrissent, ça leur réjouit le cœur, ça les ré-
chauffe !

Tandis que le député regagnait son logis, en rê-
vassant, Aïda la rousse et sa noire compagne
avaient repris leur faction au coin de la rue, le cœur
réjoui par les libéralités de M. Félibien.

Elle ne pensait à rien, Aïda, ou alors, vaguement,
comme ça. Elle revoyait la grande ville de X, où
elle avait grandi dans un quartier populaire, haut
perché au-dessus d'un large fleuve X.

C'était loin, tout ça, déjà. Elle ne s'appelait pas
Aïda, à l'époque. Tout bonnement : Amélie Dupont !

« Il est bien brave, ce M. Félibien, quel drôle de
nom, quand même ! Félibien, ça prête à rire. Quel
vicieux, cet homme-là ! Ça doit être quelqu'un de
bien. C'est tous des vicieux, d'ailleurs, à X., c'est
bien connu ! »

Et Aïda poussa un soupir, en hochant la tête.

# IV

PENDANT que son cher oncle prenait du bon temps, Alfred s'arrangeait pour ne pas trouver le temps trop long en attendant le retour de Gloria.

Il lisait un roman, qui l'ennuyait à mourir. C'était un « nouveau roman », où il ne se passait rien, où les personnages avaient l'air de silhouettes sans vie, qui se mouvaient mécaniquement, dans des décors minutieusement décrits, objet par objet. Il se croyait obligé, le brave Alfred, d'ingurgiter ces nourritures indigestes, pour « se tenir au courant », et parfaire sa culture générale !

« Dans le fond, pensait-il, si j'écrivais ma vie, ma vie quotidienne avec Gloria, mon boulot, tout ça, ça ne donnerait rien de bien palpitant, non plus. Et ça n'amuserait personne, de me lire, personne ! Ça ne m'amuse pas moi-même, finalement, de le vivre ! L'oncle Félibien m'a quitté, tout à l'heure, sur le terre-plein de l'Opéra. Il a dû rentrer chez lui, je pense. Bon ! Je pourrais bien, si j'écrivais un livre, où je le mettrais, ce brave oncle, lui imaginer des aventures, toute une vie nocturne, secrète. Mais j'inventerais. Alors, je les comprends, ces auteurs de

« nouveaux romans ». Ils ne veulent pas inventer, imaginer; seulement rendre compte de ce qui se passe, de ce qui est réellement vécu, plus ou moins, alors, ils s'ennuient, et ils nous ennuient ! »

De fil en aiguille, il ne put s'empêcher d'essayer d'imaginer ce que faisait Gloria, à cette heure tardive, son théâtre terminé :

Elle prenait un verre avec des copains, ils parlaient « boulot ». Ou, alors, alors. Oui, évidemment ! Elle était seule avec un de ces copains-là, sur un lit, évidemment !

Cette vision, il ne pouvait l'empêcher. Il imaginait, voyait Dieu sait quoi ! Et ça lui faisait mal !

« Mais qu'est-ce qu'elle fabrique ? Nom de Dieu de nom de Dieu ! »

Il entendit un pas dans le couloir, après le déclic et le bruit de la porte de l'ascenseur :

« Ah ! cette fois, c'est elle ! »

Non ! Le pas s'arrêta. Il y eut un bruit de clef qui ouvrait une porte.

« Ce doit être ce type brun, qui habite au bout du couloir. Sûrement. »

Enfin, ce fut Gloria :

« Je t'ai fait attendre, mon chéri. Je suis navrée... Figure-toi que j'ai été retenue par une copine, qui a voulu, à toute force, m'emmener prendre un verre. Je ne pouvais pas refuser. Et je suis rentrée à pied... je suis fatiguée.

— Ah... et qui c'est, cette copine ?

— Elle s'appelle Félicité. Félicité, quel joli nom, tu ne trouves pas ?

— Gloire et Félicité ! fit Alfred, d'un ton ironi-

que. Gloire et Félicité : vous devriez créer un numéro, des sortes de duettistes, ça ferait une affiche
sensass, vos deux noms, tout un programme !

— Tu as l'air fâché, mon poulet ! C'est pas gentil ! Parce que je rentre tard, pour une fois; et tu te
moques du prénom de ma copine, et du mien, t'es
vache, c'est pas chic !

— Mais, mais non, je ne me moque pas. C'est joli,
en effet : Félicité. Je te félicite ! Tu as une copine
qui a un nom optimiste; je t'en souhaite beaucoup,
de félicité... et de GLOIRE ! »

Ils se disputèrent encore un peu, sur ce ton badin.
Et puis, dans le lit les nuages se dissipèrent, les humeurs fondirent :

« Tu es toujours mon vaillant Alfred. Ce qu'il est
beau, ton épieu ! Viens ! »

Et Gloria se montra la plus dévouée des maîtresses, la plus attentive des amantes, la plus empressée
des femmes. Elle avait peut-être quelque chose à se
faire pardonner.

« Ah ! pensait Alfred, c'est tout de même le bonheur... le bonheur ! »

Il se grisait de ces mots simples, un peu bêtes,
tandis que Gloria, couchée sur lui, le caressait de ses
seins, les roulait doucement sur ses pectoraux, qu'il
avait recouverts d'une épaisse toison de poils sombres. Elle aimait la caresse de cette fourrure drue
sur la pointe érectile de ses seins, Gloria. A demi
appuyée sur ses avant-bras, elle roulait, ondulait, son
torse effleurant la dure poitrine de son mari. Elle

avait en elle la virilité puissante, forte et douce
d'Alfred, et ses reins, sa croupe, ondoyaient, la co-
rolle lustrée de son anémone de chair épousait la
hampe de chair qui se dressait et s'enfonçait en elle,
orgueilleuse, brûlante !

L'orgasme montait en eux, comme une fièvre
d'orage, tout bruissant de leurs plaintes sourdes de
plaisir, de halètements, de mots d'amour inarticulés,
qui mouraient sur leurs lèvres. Dans un dernier as-
saut de leurs reins acharnés, de leurs ventres tendus,
les deux gerbes de leur plaisir explosèrent. Ils
s'étreignirent, lutteurs à bout de souffle, tous nerfs
brisés, comme pour s'unir dans une petite mort, une
merveilleuse petite mort, exquise !

*

Gloria, jusqu'alors, ne s'était pas sentie très à
l'aise sur la scène de son café-théâtre. Non parce
qu'elle croyait manquer de talent, ni qu'elle fût dé-
concertée par le caractère « d'avant-garde » des élu-
cubrations qui se débitaient dans la pièce : elle
avait déjà participé à ces espèces de happenings
améliorés, vaguement hermétiques, que baladent en
province des groupes théâtraux (on dit : équipes,
aussi, ça fait bien) où des acteurs, en général fâchés
avec la « diction », vociferènt des lieux communs
sur la Révolution, l'Amour, la Liberté, l'Aliénation,
le Rêve et la Réalité ! tout le bordel ! Les acteurs y
sont, généralement, dénudés, ou presque, ce qui
peut, à la rigueur, faire « contestation », outrage —
anodin — aux bonnes mœurs.

Ces trucs-là se jouent devant un maigre public de
« maisons de jeunes et de la culture », où quelques
fanatiques, déjà blasés, viennent par habitude.
Quant au « peuple », auquel la bonne parole est, en
principe, destinée, le « peuple » s'abstient, et va au
cinoche voir les Charlots.

Les escouades du théâtre « engagé » se paument,
de plus en plus, dans des banlieues ou des quartiers
périphériques, où elles ne rencontrent que les légen-
daires « quatre pelés et un tondu ». Mais l'espoir ne
les abandonne jamais. Les troupes se disloquent, les
morceaux épars se rassemblent à nouveau, dans
d'autres formations et ça recommence.

Il y avait, tout de même, une lassitude, côté acteurs, et côté public. C'est-à-dire que de moins en
moins de saltimbanques rencontraient de moins en
moins de pelés et de tondus !

Ça devenait décourageant !


C'est par un copain d'Alfred, un type de la télé,
que Gloria avait pris du service dans la troupe qui
animait les soirées de *Chez Rasade,* un bistrot de
Saint-Germain-des-Prés, dont la cave (qui datait de
Philippe-Auguste, comme il se doit) contenait une
estrade, où cinq ou six personnes pouvaient évoluer
presque à l'aise, avec, tout de même, des risques de se
planter le doigt dans l'œil en faisant des gestes trop
brusques.

La possibilité de boire un coup en regardant
quelques jolies filles, à moitié à poil, et quelques
beaux garçons (ça plait aussi, pardi !) bramer des

inepties en faisant de grands gestes, et des petits pas
de danse. attirait dans le café-théâtre plus de monde
que n'en voient, hélas, les « maisons de la Culture »,
qui sont des temples de l'Art, elles !

La « limonade » et le théâtre faisaient donc bon
ménage, dans le quartier le plus animé, nocturne-
ment, de Paris. Le commerce encourageait les beaux-
arts !

« Tu comprends, mon poulet, avait dit Thierry
Labarbe, le directeur de la troupe, à Gloria, tu comprends, tu figures le prolétariat « aliéné » ! C'est important, ça : L'ALIENATION, au sens marxiste
évidemment ! Tu es par terre, toute « haillonneuse »,
comme enchaînée. Ton thème : je vis une existence muselée dans un monde privatif !

« Tu démarres une espèce de monologue, tu im-
provises sur ce canevas : « Fleur avachie sur son ter-
« reau, fumée sans fumet, fumée sans feu, mes jours
« sont débités au portillon de l'angoisse ! je parle :
« personne ne répond, personne n'entend, un jour je
« me dévorerai moi-même, au festin de mon cri ! » etc.,
etc. Tu piges ? »

Elle pigeait, Gloria, et comment ! Elle ferait des
variations sur ce thème sublime. Elle finirait par des
grognements, des jappements... peut-être même
qu'elle aboierait, qu'elle hurlerait à la lune ! Ça sera
superbe !

« Alors, continua Thierry, arrive la Société Bour-
geoise, l'ennemie ! Mais attention : vous n'allez pas
vous sauter à la gorge. Non, non, non !

« La bourgeoisie, elle vient pour te séduire, t'en-
dormir, te baiser ! Et toi, tu marches, tout en te re-

tenant. Tu piges ? Alors, là, tu t'accroches au texte
de Félicité : tu es un écho, parfois, puis une insulte,
puis un désir. Elle veut te dominer, elle te domine !
Tu sens le piège : tu vas l'aimer, ton ennemie héré-
ditaire ! C'est l'attirance de l'abîme. Il est bien évi-
dent que le dénouement doit rester ambigu. Le public doit être éveillé, troublé, rester perplexe, il est
attaqué, quoi, mais de façon subtile, tu piges? Avec
Félicité, ça doit coller, votre improvisation. C'est
une nature, un tempérament, Félicité ! »

Elle était belle, Félicité : grande, brune, des yeux
« grands comme ça » sombres, et des seins admirables, un peu forts pour la taille fine, les hanches
minces, les belles jambes longues et musclées de
danseuse, un peu « garçonnières ». Elle était dans la
« troupe », où elle s'était déjà manifestée, depuis
deux jours.

Gloria était un peu éblouie de la beauté de sa
nouvelle camarade. Félicité avait cet air, tout naturel, d'étrangeté, et de sensualité, un peu « lointaine », ce charme trouble de plante vénéneuse, qui
avait, de tout temps, fasciné Gloria. Elle se sentait,
là devant, un peu intimidée, mais terriblement excitée !

Elles furent, à leurs propres yeux, du moins,
éblouissantes, dans leur numéro, les deux. Elles jouè-
rent cette parabole sexy du Maître et de l'Esclave,
avec beaucoup d'invention, à la limite, parfois, de la
décence.

Figurant la Bourgeoisie, Félicité était vêtue d'une

espèce de courte armure, d'une sorte de cotte de mailles argentée, qui couvrait à peine son torse superbe. Ses jambes étaient lacées des cordonnets de sandales dorées. Elle avait des gants évasés, un peu « mousquetaires », couleur sang de bœuf. Gloria, en « malheureuse victime », était drapée — à peine — de « haillons » de nylon violet, qui mettaient en valeur sa peau laiteuse et mate de belle rousse.

A certains moments du mimodrame, les spectateurs auraient pu soulever le guéridon, où reposaient leurs verres, avec l'instrument sensible dont la nature les a dotés pour exprimer l'enthousiasme... enfin un certain enthousiasme, où les « sens » ont la part belle !

Elles sortirent de cet exercice dramatique, un peu essoufflées, en nage, mais ravies, Gloria du moins. Enfin elle venait de vivre, grâce à Félicité, un moment de vrai théâtre, comme elle l'avait rêvé, où elle avait ressenti ce qu'elle jouait jusqu'au fond d'elle-même, dans un mélange d'excitation, de maîtrise et de don de soi, comme si elle avait été sous l'effet d'une drogue !

Dans le recoin qui servait de loge, derrière une lourde tenture d'un rouge pisseux, elles se déshabillèrent (si l'on peut dire) et se rhabillèrent ensemble, dans une bonne intimité de peau en sueur, une promiscuité « frôleuse », étant donné l'exiguïté du lieu.

« Comme tu as une belle peau, elle est blanche, presque transparente, et douce... »

La main de Félicité s'était posée sur l'épaule de Gloria, elle avança un peu vers la naissance du sein, et Félicité souriait, les yeux plissés, d'un sourire ambigu.

L'improvisation théâtrale semblait, tout naturellement, se poursuivre dans la vie, au-delà des planches.

Gloria tressaillit au contact de cette main qui l'effleurait. Un frisson courut sur toute sa peau :

« Tu es belle, s'entendit-elle dire à sa compagne, tu as une peau ambrée, toi, tu es comme une statue. »

La main de Félicité, furtive, rapide, comme ailée, se posa sur la hanche de Gloria, où elle s'attarda un instant :

« Nous sommes bêtes, fit-elle, sortons, je t'emmène. »

Gloria se sentait subjuguée : elle serait allée au bout du monde, avec cette belle fille brune qu'elle ne connaissait pas deux jours auparavant. Elle pensa à Alfred, qui devait l'attendre. Tant pis, elle chassa cette pensée importune d'un mouvement de tête, qui fit voler sa longue chevelure rousse sur ses épaules.


Elles descendirent la rue de Seine jusqu'à la rue Guénégaud, qu'elles prirent :

« J'aime bien aller un peu promener sur les quais, le soir, dit Félicité, il n'y a personne, ou presque : quelques gens à chiens, des clochards qui cuvent leur vin. On s'y sent libre, ça fait du bien.

— Oui, c'est bien d'être libre », fit Gloria, en écho.

Libre, elle comprit soudain qu'elle ne l'était pas, libre, elle, avec Alfred; c'était bizarre, cette impression, tout d'un coup.

« Un soir que je me promenais sur les quais, reprit Félicité, qui semblait aimer monologuer, un soir, j'ai entendu de drôles de bruits, dans un coin d'ombre, sous le pont du Carrousel, comme des gémissements, des plaintes. C'était deux clochardes (je les connaissais de vue, elles avaient des oripeaux incroyables, on aurait dit des Père-Noël, des musettes, tu vois !). Eh bien, elles étaient couchées, là, sous le coin de l'arche, elles ne m'ont pas vue arriver, je me suis dissimulée. C'était extraordinaire : elles étaient en train de se faire l'amour, les deux, elles se faisaient mimi, sous leur tas de défroques. Elles se sont envoyées en l'air, d'une façon incroyable, c'était merveilleux, vachement réconfortant, je te dis ! Tu penses : des vieillardes, des femmes sans âge, des monstres à varices, avec des gueules rouge brique de poivrotes ! Et elles s'aimaient, elles se faisaient mimi, elles jouissaient, c'est fantastique, non ?

— C'est fantastique, approuva Gloria, l'amour, à ce point-là, en effet ! C'est, tout de même, une drôle de liberté d'être clochard, et clochard inverti, encore plus. C'est fascinant, les associaux. Il paraît qu'ils sont souvent homosexuels, les cloches, ça aussi c'est la liberté ! »

Elles descendirent sur le quai, au Pont-Neuf.

Il y avait de grandes péniches immobilisées,

éteintes, endormies, comme des fantômes, de grands catafalques bitumeux. Les mariniers devaient y dormir d'un sommeil épais, contre leurs femmes lourdes et saines, qu'ils avaient possédées, après la soupe.

Le pont des Arts enjambait la Seine, avec ses fines pattes métalliques. On aurait dit une troupe d'araignées, d'insectes aquatiques, en procession au-dessus de l'eau noire.

Elles entrèrent dans l'ombre de l'arche. Il n'y avait personne, pas un bruit, sinon le flot, qui bouillonnait sur les piles de pierre, et le roulement assourdi des voitures, en haut, sur le quai.

En un instant, Félicité fut contre Gloria, et l'étreignit, plongea sa figure dans la chevelure rousse :

« Toi... toi, fit-elle dans un souffle, il y a un moment que j'ai envie de te voir d'un peu plus près : ce que tu as pu m'exciter, ce soir, dans ce bordel de théâtre. »

Elle prit la figure de Gloria dans sa belle main possessive, et la leva vers elle. Gloria eut les belles lèvres chaudes sur ses lèvres, la langue, fine et dure s'immisçait dans sa bouche... elle s'abandonna.

La main de Félicité appuyait sur sa hanche, son bras la ployait sous elle. Gloria sentait ses jambes mollir de désir, une fièvre la gagner, sa main se crispait sur la taille nerveuse de la grande brune penchée sur elle.

« Rentrons chez moi, fit Félicité, je n'en puis plus; j'habite tout à côté, viens.

— Je vais être en retard, murmura Gloria, mon mari...

— Ton mari... ton mari — Félicité eut un petit

rire — a-t-on idée d'être mariée; ton mari on s'en fout ! Allez viens ! »

Félicité créchait sous les toits, dans une minuscule chambre d'un petit hôtel du quai Voltaire.

« Tu n'as pas honte, d'être attendue par un mari, je vais te le faire oublier, moi, ton petit homme. », disait Félicité, en déshabillant Gloria d'une main fébrile.

Elle la jeta, littéralement, sur le lit, s'allongea sur elle, l'immobilisa, l'emprisonna de baisers, de caresses, plongea sa figure dans les belles cuisses blanches, but à la source humide et brûlante de fièvre.

Gloria crut s'évanouir de plaisir sous les baisers de l'ardente brune, répandit sa liqueur d'amour, dans un cri sourd, secouée de frissons qui la traversaient, ondes magnétiques.

Elle découvrait l'amour des femmes, qu'elle n'avait fait qu'effleurer, jadis.

Le seul point sur lequel elle n'avait pas menti à Alfred, à son retour tardif, c'est qu'elle était rentrée à pied. Elle avait traversé le pont du Carrousel, remonté l'avenue de l'Opéra, où elle aurait pu rencontrer, leurs chemins se croisant, l'oncle d'Alfred.

Tout au long de sa promenade, elle était encore habitée par le souvenir des heures surprenantes, et grisantes, qu'elle venait de vivre. Elle portait sur elle, lui semblait-il, l'odeur exquise de la peau brune de Félicité, sur ses lèvres, l'arôme plus subtil

et capiteux qu'avait déposé sur elles le plaisir, la rosée d'amour de son amie.

C'était presque une sensation de bonheur qui
l'habitait, en tout cas une intense griserie, quelque
chose qui, de son cœur, se répandait dans tout son
corps, comme une petite fièvre, mais aussi comme
un bien-être, une légèreté, une allégresse joyeuse et
grave en même temps, comme un frémissement heureux, comme si le plaisir continuait à l'irradier, par
longues ondes. Elle sentait à son cœur, par instants,
comme un pincement, une sorte d'affolement léger,
dans une précipitation soudaine de l'afflux du sang
à ses artères, et elle se prenait à sourire à la nuit,
aux nobles façades de l'avenue, à l'Opéra qui, là-bas
au bout, faisait luire ses toits de cuivre sous la lune,
d'un éclat de vert-de-gris phosphorescent.

« Toi, ma fille, tu es en train de te fabriquer un
béguin ! Le coup de foudre, quoi ! C'est bien la première fois, avec une femme, c'est pas possible ! »

Une voix intérieure venait de lui dire ça, comme
au creux de l'oreille, dans sa tête bourdonnante.

« Ça, alors ! ce n'est pas croyable ! Je crois que je
suis en train de déconner, de me monter le bourri-
chon. Je m'invente un roman, c'est certain ! Tout ça
parce que je dois m'ennuyer avec Alfred, et l'autre
coco, mon pauvre petit Gaston, qui est si mignon. »

Elle rit, car elle venait de penser qu'elle était une
femme fatale, une femme encombrée de passions di-
verses, qui l'occupaient diversement, elle. Et elle
trouvait ça marrant. Tout à fait marrant !

Au moment même où elle s'amusait de ses pensées, de ses réflexions, dans sa rêverie de promeneuse noctambule, sur l'autre trottoir de l'avenue, un peu plus loin, c'était bien l'oncle Félibien qui tournait le coin de la rue Saint-Roch. Comment aurait-elle pu le reconnaître, à cette distance ? Singulière rencontre, si elle s'était produite : ils venaient tous les deux de ce qu'il faut bien appeler : leurs plaisirs. Et M. Fébilien l'avait pris, son plaisir, avec une certaine Amélie Dupont. Il y a de ces coïncidences, tout de même !

# V

« C'est quand j'étais toute môme, que ça m'est arrivé. Figure-toi que ma mère avait une femme de chambre.

— C'était qui, ta mère ? Pour avoir une femme de chambre, ça devait être quelqu'un de vachement rupin.

— Enfin, oui, si tu veux. Ma mère, à proprement parler, était une « courtisane », une femme entretenue. Je n'ai jamais su qui était mon père. A Bordeaux, il y a de grosses fortunes, des gens des vins ; et qui s'ennuient à mourir, chez eux, avec leurs femmes, qui sont de riches héritières, épousées par intérêt. C'est snob, à un point, ces milieux-là ! Et des cons ! infatués d'eux-mêmes, et qui prennent « le genre anglais » ! Alors, une femme très belle, intelligente, et tout. Elle était merveilleuse, ma mère. J'étais amoureuse d'elle, sans le savoir, évidemment, elle me fascinait. C'était mon idole !

— Ça doit être chouette, d'avoir une mère comme ça, qu'on admire, qu'on idolâtre !

— Dans un sens, oui. Seulement, dans mon cas, il y a une frustration, tu piges ? Je lui ressemble, à ma

mère : son portrait tout craché. Comme je ne peux
pas me contenter de moi-même, heu, de me donner
du plaisir, en me regardant dans une glace, enfin,
glissons ! Donc la femme de chambre; une jolie
blonde fine, c'est l'histoire classique :

« Je pleurais dans ma chambre, un après-midi. Je
devais avoir quatorze ans. J'étais ignorante de tout,
je ne savais même pas qu'on pouvait se donner du
plaisir, avec un doigt, rien. Bref, je pleurais dans ma
chambre. Adèle, la femme de chambre, est venue.
Elle m'a consolée, embrassée, cajolée. Nous étions
seules à la maison. Elle m'a déshabillée, comme ça,
mine de rien. Elle m'a fait mimi, elle avait posé sa
jolie figure sur mon ventre, je sentais mon cœur qui
battait, et une étrange sensation, d'angoisse et de
plaisir, c'était fabuleux ! Et j'ai eu mon premier
plaisir, une jouissance terrible, comme si je mou-
rais ! Après, ça a été très joli, très joli, cette « amitié » avec la soubrette, très joli ! Quand je pense
que j'aurais pu tomber sur un bellâtre de larbin,
avec une grosse bite, qui sait ? A quoi tiennent les
choses, hein ? Il suffit d'un rien ! »

Pendant que Félicité lui racontait ainsi sa vie, enfin les débuts de sa vie de lesbienne, Gloria pensait
que c'était drôle que Félicité, comme elle, ait eu
une mère inavouable. Et pourtant, son amie
l'avouait avec candeur, et avec cynisme, cet état de
fille naturelle, et de fille de putain ! Seulement, la
maman de Félicité était, elle, une courtisane des
hautes sphères, ça fait, tout de même, une sacrée
différence. Il n'empêche que Félicité était un esprit
libre, débarrassé des préjugés, elle ne l'en admirait

que plus, Gloria. Vraiment, sa Féli chérie la dominait, et l'ébouissait !


Depuis quelque temps, les deux amies se réunissaient dans la petite chambre de Félicité, tous les après-midi, pour « travailler », officiellement, du moins.

« Tu comprends, mon chéri, c'est très utile pour moi, avait dit Gloria à Alfred, d'avoir une amie plus expérimentée que moi dans le boulot. Elle me fait travailler; elle est cultivée, elle a déjà beaucoup joué au théâtre. Tu verras : c'est une fille épatante. Je te la présenterai. »

Le plus clair du « travail » des deux amies consistait, nous nous en doutons, à faire l'amour. Et aussi à se déguiser, car Félicité avait la passion, qui allait bien avec sa vocation théâtrale, de la mascarade. Elle sortait d'une vaste valise des trucs invraisemblables, d'admirables épaves de marché aux puces : des « affutiaux » en lamé, en paillettes, avec du strass, des plumes, des aigrettes, tout un merveilleux bric-à-brac de pacotille. Elle « composait » sur Gloria, ravie et excitée des déshabillés suggestifs, des déguisements de femme fatale, de coquette 1900, s'habillait en homme, elle, en pirate de fantaisie, en marlou, qui, évidemment, séduisait « la vedette », qu'elle bousculait sur le lit, qu'elle violentait, avant de la dévorer de baisers goulus et savants, qui emportaient Gloria dans un septième ciel, dans un firmament, un paradis d'orgasmes répétés, qui la laissaient anéantie de plaisir, de bonheur.

Il y avait bien un peu de temps, tout de même consacré à la lecture de pièces de théâtre : Ionesco, Marguerite Duras, étaient les auteurs favoris du moment, de Félicité. Elle avait de l'ambition, la grande belle fille brune, elle voulait arriver, désirait le succès plus que toute autre chose au monde.

« Un mari à la télé, c'est pas mal, disait-elle à Gloria. Même s'il ne fait que de débuter au journal, pour le moment. Il aura vite des relations, là-dedans. C'est important, la télé, tu penses : douze millions de spectateurs ! C'est pas rien !

« J'aime ta peau si blanche, là, à l'intérieur de ta cuisse, mon amour. On dirait du jasmin, il y a des pétales de grandes fleurs qui ont cette douceur-là; seulement elles n'ont pas ta bonne odeur, ta bonne odeur... »

Félicité aimait rester longtemps, par ces fins d'après-midi où il y a en beaucoup d'amour, la figure couchée sur la cuisse de Gloria, près de l'anémone de chair bistre, tiède et humide, qui sommeillait à deux doigts de ses lèvres.

Elle se prenait d'un attachement sensuel, mais où il entrait aussi un peu de sentiment amoureux, pour sa belle amie rousse, dont la blancheur, la blondeur odorante, l'émerveillait. Elle aimait le contraste des formes tellement féminines, suaves et pleines, de son amie, avec son corps, à elle, fin et ambré, où seuls les seins, ronds et couronnés d'un large bouton sombre, étaient d'une femme. Elle trouvait au couple qu'elles formaient, dans leurs contrastes, quelque chose de réussi, comme une belle œuvre d'art. Il fallait à Félicité ce surcroît de sentiment esthétique, pour qu'elle fût totalement à l'aise dans ses amours charnels, où le cœur n'entrait que pour une mince part, précieuse néanmoins.

« Si ton mari nous voyait ensemble, si tu me présentais à lui, tu ne crois pas qu'il se douterait ? Tu crois qu'il peut être jaloux d'une femme, ton Alfred de mari ?

— Je n'en sais rien, l'occasion ne s'est jamais présentée. Peut-être qu'il serait jaloux, en effet. On ne sait jamais, avec les hommes, ils sont bizarres !

— Ils sont surtout préoccupés de leur boulot, les bonshommes, leur boulot, leur carrière, leur avancement, leur fric ! Le reste, ils s'en foutent bien ! Bande de vaches ! Tous dégueulasses, je te dis : dégueulasses ! »

De temps en temps, elle lançait des imprécations contre « l'ordre mâle », Félicité, un peu sérieusement, un peu pour s'amuser, pour s'affirmer dans ses goûts, et taquiner ses amies mariées, qu'elle supposait toujours subjuguées par l'homme, asservies, quoi qu'elles en aient.

Tout de même, comme elle venait de le dire : un mari à la télé, ou dans les milieux théâtraux, ça pouvait servir, c'est parfois utile, et amusant, de cocufier certains bonshommes : on peut se servir d'eux, tout en jouissant de leurs femmes. C'est double plaisir !

Gloria devinait bien un peu tout ça, mais elle ne s'en choquait pas. La vie n'est pas si simple, n'est-ce pas ! Pas la peine de la compliquer encore. Elle

se laissait glisser, tout doucement, Gloria. Seulement, elle commençait à s'apercevoir qu'elle s'attachait de plus en plus à Félicité, avait de plus en
plus de plaisir avec elle, et que ses sentiments pour
Alfred s'en ressentaient, qu'il commençait à l'agacer,
Alfred, par moments, et que faire l'amour avec lui,
ça devenait, furieusement, le « devoir conjugal »,
pour ne pas dire une corvée !

Quant à son petit Gaston, son discret et fougueux
amant du matin, c'était autre chose : une habitude
aimable, une douce habitude, quelque chose de
sain, de fruste, sans subtilités, qui prolongeait la paresse voluptueuse des matinées prolongées dans la
tiédeur du lit. Elle l'aimait bien, Gaston, comme un
animal familier.

Si Félicité venait à apprendre, pour Gaston, c'est
pour le coup que ça irait mal ! Elle aurait plus
craint la jalousie de son amie, que celle de son mari,
en l'occurrence.

Heureusement qu'elle ne saurait jamais, Félicité,
heureusement !

Tout compte fait, elle lui sacrifierait allègrement
Gaston, à Félicité, et, qui sait, peut-être même Alfred !

Ça devenait inquiétant !

*

« La mère de Gloria, qu'est-ce que ça peut bien
être, se demandait parfois Alfred. Elle n'en parle jamais, c'est un petit chat perdu, Gloria. Bizarre, tout
de même, la vie. Des êtres sortent du néant, sans

prévenir, et ils occupent, d'un coup, tout l'horizon, deviennent indispensables. »

Ce mystère dans les troubles origines de Gloria, est-ce que ce n'était pas, aussi, une raison de s'attacher à elle ? Au moins, leur union était en dehors des convenances, des choses convenues : une aventure, une poésie. C'est merveilleux, quelqu'un qui n'a pas d'état civil, ou presque, qui est lui-même, rien que lui-même, sans famille, sans passé. Il en était tracassé, parfois, par un reste de sens bourgeois, mais grisé, le plus souvent. C'était affirmer sa liberté, ça non ? Avoir une femme qui sort de la nuit !

Lorsqu'ils s'étaient mariés, Gloria et lui, elle lui avait dit :

« Je vais, tout de même, l'annoncer à ma tante. Je vais lui écrire, pour la mettre au courant, mais, en aucun cas, je ne veux la voir, cette salope !

— Et ta mère, tu ne la préviens pas ? lui avait demandé Alfred.

— Il faudrait, d'abord, que je sache où elle est, celle-là. Madame a levé l'ancre, un beau matin, et puis... plus personne ! Alors, dans ces conditions, si tu as toujours envie d'épouser une fille abandonnée, n'hésite pas ! »

Et ça avait été une raison de plus, pour Alfred, de ne pas hésiter !

Et, pendant qu'il se posait ces questions sur la mère de Gloria, allongé sur son lit, Alfred, tout d'un coup, se rappela un petit fait de sa prime jeunesse :

C'était un soir, à X., il pleuvait. Le petit Alfred avait quinze ans. Il traînaillait sous la pluie, dans un imperméable trop grand pour lui. Sa mère avait le génie de l'affubler de vêtements trop grands pour lui. Elle prévoyait que sa croissance le ferait vite atteindre la taille voulue, pour qu'il finisse par emplir le vêtement avantageux ! Celui-ci était déjà usé, rapé, lorsque l'adolescent commençait à s'y sentir moins perdu ! Ces vieux principes d'économie, qui se perdent, heureusement, ont affligé des générations de jeunes garçons, des fils de veuves surtout.

Sous cette pluie, dans ce quartier désert de X., il y eut, soudain, devant le jeune Alfred, un réverbère, et, sous le réverbère une grosse dame, outrageusement fardée, court-vêtue, malgré le temps, et fumant une cigarette, entre deux lèvres d'un rouge sanglant.

Elle l'appela. Il s'approcha, la suivit.

Ses aventures — il en avait déjà eues — ne lui avaient jamais procuré une compagne de jeu aussi opulente, couchée sur un lit d'hôtel borgne, ouverte, obscène, comme débondée, ni, en lui, ce désir insensé, mêlé d'angoisse et de dégoût, comme une tempête, et comme une débâcle.

Il s'était jeté, littéralement, sur ce tas de chair étalée, s'y était enfoui, submergé de désir, grisé, par cette odeur puissante — parfum et sueur — qui émanait de la minable tapineuse.


Ensuite, il avait eu honte, et une peur horrible d'être malade l'avait tenaillé quelque temps.

Ce fut sa seule et unique expérience des putains. Elle était « de taille », si je puis dire !

Ce souvenir venait parfois se rappeler à lui, et le gênait, il ne savait trop pourquoi. Car, enfin, quoi de plus banal qu'une telle escapade ?

Il n'allait tout de même pas imaginer que la mère de Gloria s'offrait aux passants, sous un bec de gaz, ou juchée sur un tabouret de bar ?

Il chassa cette image importune. Il laissait à sa « belle-mère » toutes ses chances de mystère, d'incertitude, de vague.

« Et puis, après tout, qu'est-ce que ça peut faire ? Gloria est une orpheline, en quelque sorte, pauvre petite Gloria. »

Il était libre de sa fin d'après-midi, ce jour-là, Alfred. Libre mais seul : Gloria était toute la journée « fourrée chez sa copine », comme il disait, non sans mauvaise humeur.

Paris est bien l'endroit au monde où l'on peut souffrir le plus ou le moins, selon les humeurs, les tempéraments, les dispositions d'esprit, de la solitude. Il y a la foule, le bain de foule, que se paient les grands de ce monde en veine de popularité. Ce bain dans la multitude affairée peut être agréable à celui qui pourrait, seul chez lui, se trouver en proie aux soucis qu'il remâche, ou au simple ennui. Alors, c'est amusant d'aller dans le flot humain de la grande ville. Pas besoin d'être en quête d'aventure, de suivre et d'aborder une jolie fille, de l'inviter à boire un verre, avec l'espoir de lui faire l'amour, si possible; et, si ce n'est pas possible, eh bien, tant pis ! Ce sera pour une autre fois, avec une autre jolie fille. Il y en a tant !

Non. Le simple spectacle suffit, de la rue, des gens, voire du brouhaha des voitures : il peut vous empêcher de penser, vous vider la tête, ça fait du bien, parfois. Dieu ! que les filles sont jolies, et drôlement fagotées. Elles ne suivent plus tellement les directives de la mode : il y en a avec des robes courtes, des bottes — very exciting, les bottes ! — des grandes robes flottantes, traînant à terre, des châles, des cheveux aussi longs, presque, que les châles, gitanes d'opérette. Quel trafic, mais quel trafic, mes amis !

Ça finit par faire tourner la tête, à force de la vider, tout ce vacarme, cette cohue ! Mais c'est invivable, c'est pollué ! Et tous ces gens qui se bousculent, se piétinent, se cognent, avec leurs sales gueules d'énervés chroniques ! Merde, alors ! Quel bordel ! mais on va crever, là-dedans !

Alors, vite, on se réfugie dans un bistrot. Heureux si l'on connaît un coin tranquille et confortable, discret, sans trop de monde, où il y a des lumières douces sur de petites tables, et pas trop de monde, surtout, pas trop de monde, qu'on respire un peu ! Ouff !

Après sa petite promenade hygiénique de six heures du soir (après la petite station sur son lit, où il avait pensé à la mère de Gloria), une fois pris son « bain de foule », quand il sentait qu'il en avait marre de traîner, que ça commençait à lui casser les pieds, Alfred se dirigea vers un petit bar qu'il connaissait, pas loin de la Madeleine. Ce bar offrait les

conditions requises; pénombre, calme, service aussi
« feutré » que possible, une petite salle, au fond, assez éloignée de la rue, une bonne insonorisation, un
havre de grâce !

Dans le petit coin tranquille du bar confortable et
calme, il n'y a que deux clients, un homme et une
femme, mais, alors ! C'est tout de même marrant !
L'homme se retourne, c'est l'oncle Félibien, lui-
même, en personne. Pas moyen de lui échapper, il a
vu son neveu :

« Tiens, toi ici ! qu'est-ce que tu prends ? Heu...
permets-moi de te présenter, heu (il semblait hésiter, être gêné), heu... une amie de X... Madame,
heu, madame Amélie »

« Une dame qui n'a qu'un prénom, pensa Alfred,
c'est marrant, et c'est gênant ! »

Il s'inclina devant la « connaisance » de son cher
oncle. C'était une grande belle femme — la quaran-
taine bien sonnée — mais avenante, avec quelque
chose comme du « mauvais genre », mais dans les
limites... heu... décentes !

« Il est en bonne fortune, le vieil hypocrite,
pensa Alfred, pas très reluisante, sa conquête. Bizarre, il a de drôles de goûts, l'oncle. Ou bien des
passions. C'est du pareil au même : goûts ou passions. »

Tout en se faisant ces réflexions, il saluait « madame Amélie », s'enquérait de sa santé (qui avait
l'air florissante, d'ailleurs), faisait l'aimable.

« Ainsi, vous êtes de X, comme mon oncle et
moi ? Quelle belle ville, et agréable à vivre.

— Ça, on peut le dire, fit Mme Amélie, c'est plus

plaisant qu'ici, notre X. Ah oui, faut vraiment y être obligé, ici. Turbiner dans ce bled, alors... oh, ma mère, c'est pas du gâteau, Paris ! »

Et elle rougit, car elle venait de s'apercevoir que sa fin de phrase n'était pas très... distinguée. Elle s'était laissé emporter, ne s'était pas contrôlée ! Or elle s'était bien promis, lorsqu'elle avait, par hasard, rencontré le gros Félibien, et qu'il l'avait invitée à prendre un verre, à « savoir se tenir », à ne pas compromettre son « client ».

Lorsqu'elle faisait des courses, dans la journée, qu'elle allait « en ville » Amélie-Aïda s'attachait à prendre l'air le plus convenable possible, s'habillait en conséquence, de la manière la plus stricte, et se fardait de façon très modérée.

Elle était toute fière d'être invitée à prendre un verre par ce monsieur, qui, maintenant qu'elle le voyait « au grand jour », avec sa rosette de la Légion d'honneur, son air sérieux, sa sûre élégance, l'impressionnait.

Et voilà qu'un neveu de cet homme considérable, comme par un fait exprès, les surprenait. Elle allait « faire gaffe », parler peu, surveiller son langage, jouer les dames de province en exil à Paris, bref faire bon effet !

Son verre bu, Alfred jugea qu'il ne devait pas s'attarder. Quelque chose lui faisait sentir que, malgré son aisance apparente, l'oncle Félibien était bien embêté d'avoir été surpris en compagnie de celle qui pouvait bien être sa petite amie, et dont son neveu comprenait parfaitement qu'il ne tenait pas, outre mesure, à l'afficher.

« Quel drôle de corps, quand même, mon oncle ! Il est indécrottablement provincial. D'abord, on ne risque pas de se laisser surprendre en pareille compagnie, et puis on n'a pas des goûts aussi « popotes ». Se trouver une bonne femme de X, avec une pointe d'accent, bien sûr, comme s'il ne pouvait pas décrocher de son patelin ! Et ça prétend se mêler des « grandes affaires » ! »

Il était en même temps humilié pour son oncle, et ravi de pouvoir se moquer de lui, intérieurement, et le mépriser un brin !

Et, tout d'un coup, pendant l'échange de banalités d'usage avec l'oncle et sa « bonne femme », il eut une impression de « déjà vu », en regardant Amélia Aïda. Où avait-il vu cette figure ? C'était bizarre, cette sensation de l'avoir rencontrée déjà, ou alors : quelqu'un qui lui ressemblait étrangement. Il n'arrivait pas à se rappeler.

Il lui aurait fallu la couche de fards, le noir aux paupières, la mini-jupe au ras du poster, la lumière du réverbère. Il ne pouvait pas se douter évidemment, il manquait d'éléments.

Il restait perplexe, néanmoins, ça le tracassait.

« Tu n'as rien qui te contrarie, fiston, lui demanda, bonasse, l'oncle Félibien, tu as l'air tout tracassé, tout d'un coup ?

— Rien de spécial, seulement le travail : j'ai encore du boulot à préparer pour demain. Il va falloir que je vous quitte. Au revoir. Au revoir, madame, j'espère que j'aurai le plaisir de vous revoir.

— Tout le plaisir sera pour moi », minauda la

tapineuse, qui commençait à se prendre pour une vraie femme du monde.

Et c'était vrai, que tout le plaisir aurait été pour elle, littéralement : elle le trouvait très séduisant, ce jeune neveu de son « gros », tout à fait à son goût.

Bien qu'il ne fût pas beau, Alfred avait ce « je ne sais quoi » qui plaît aux femmes, ce charme indéfinissable. Elles sentent, d'instinct, l'homme qui sait être un amant, qui est naturellement un amant. Elles ne se trompent pas, généralement. Et Amélie-Aïda avait été dotée par la nature d'un tempérament sensible, d'un goût pour les « mâles » qu'elle ne songeait nullement à se dissimuler à elle-même :

« S'il voulait, celui-là, ça ne lui coûterait pas cher ! » se disait-elle, alors qu'Alfred prenait congé, et s'éloignait.

*

Au retour de Gloria, Alfred lui raconta sa rencontre avec son oncle Félibien.

« Ce sacré farceur, qui joue les éminences de la politique, il va se dégotter une mémère de X., qu'il goberge dans des petits bars de la Madeleine ! Il avait l'air bien emmerdé, quand il m'a vu, et qu'il a dû m'inviter à leur table. Elle a une drôle d'allure, quand j'y pense, la pépée à mon oncle, elle serait un peu putain sur les bords, que ça ne m'étonnerait pas !

— Ton oncle, avec ses airs de brave type, je pense qu'il ne peut pas me blairer. Tu t'es « mésallié », mon pauvre mignon ! Je suis le déshonneur de la famille. Il fait des galipettes, le député, mais toi, pauvre coco, tu t'es marié, avec une fille sans père, et dont la mère joue la fille de l'air, Dieu sait où ! Alors, le député, il ne m'a pas à la bonne, bien sûr ! »

Ils avaient du temps devant eux, avant que Gloria ne se rende au café-théâtre, le temps de dîner, et le temps aussi de faire l'amour; ils le firent, mais ça n'était pas ça, pas ça du tout !

Alfred eut dans ses bras une Gloria qui, malgré toute sa bonne volonté, était comme absente, peu, sinon pas, convaincue, que rien ne pouvait éveiller. Il usa en vain de sa meilleure science, Alfred, dépensa de l'ardeur : non, ça ne marchait pas ! Il avait la conviction, maintenant, que Gloria lui arrivait comblée, satisfaite, fatiguée, qu'elle avait joui ailleurs, et qu'ici, ici, bon Dieu ! ça ne l'intéressait pas du tout !

« Ça te fatigue, ma chérie, tes après-midi de lecture avec ta petite camarade, tu ne crois pas ? Tu devrais faire attention, tu finiras par faire de l'anémie !

— Sois pas bête, mon poulet. Tu n'es pas jaloux, des fois ? Qu'est-ce que tu vas t'imaginer ! »

Elle ne put pas arriver à dire ces niaiseries conventionnelles avec l'air enjoué et « détaché » qui convient. Elle eut même l'air agacé en disant cela. Mais elle se reprit, sourit, calina son Alfred, cajola avec ses belles lèvres le fruit de chair de son petit mari, simulant une ardeur tendre qu'elle ne ressen-

tait pas. Elle ne parvint pas à duper le mâle soup-
çonneux et humilié.

« On dirait une professionnelle qui s'applique,
pensait-il, il y a quelque chose qui ne va pas, qui ne
va pas du tout ! »

# VI

Un journaliste télé est toujours disponible, dès qu'il arrive rue Cognacq-Jay, le matin. Bien heureux si on ne l'alerte pas chez lui, à toute heure du jour ou de la nuit, même s'il doit s'arracher aux bras tendres de sa petite amie, avec qui il est en train de s'expédier au septième ciel !

Toujours disponible, pour être propulsé Dieu sait où, tous azimuts, pour Dieu-sait-quoi.

« Mon pote, tu files, illico, rue Machefer, dans le treizième : un incendie ! tâche de dégotter un semblant de témoin oculaire, et un pompier, démerde-toi !

— Décidément, je deviens le spécialiste des incendies criminels, ou accidentels; je commence à en avoir ma claque, des incendies, merde !

— Ça pourrait lui filer une vocation, à Alfred, ironise un copain, après son départ. S'il ne reste pas à la télé, il pourra se faire pompier ! Ça devient un métier d'avenir. »

Pauvre Alfred, le revoilà devant des ruines fu-

mantes, ça devient de la routine ! Il y a un témoin oculaire — il y a toujours un témoin, arrivé
longtemps après le début du drame —, il attend
depuis pas mal de temps l'arrivée tant espérée du
car-télé : il passera au journal ! Il y en a qui pa-
tienteraient vingt-quatre heures d'affilée, sans
bouffer, sous la pluie, pour passer dix secondes,
être vus par la femme, les gosses, les parents, les
amis, les voisins, les gens du quartier... et les millions de ceux qu'on ne connaît pas, et qui biglent
tous, à une heure, pour avoir les nouvelles fraîches
du journal !

« J'ai vu des flammes sortir par une fenêtre du
premier, j'ai couru ! Y avait quelqu'un qu'avait déjà
appelé les pompiers par téléphone. »

Pas intéressant, cet incendie : un entrepôt, qui ne
contenait pas la moindre matière inflammable, le sinistre « rapidement » maîtrisé, pas la moindre victime !

C'est plutôt maigre !

Il y aura, à une heure, l'inévitable gros-plan d'Alfred tendant son micro devant la bouche du témoin
oculaire.

On boucle, on plie bagages, allez hop ! au sui-
vant !

Alfred rêve d'un gros et bel incendie, quelque
chose comme l'incendie du Bazar de la Charité, de
funeste mémoire, la panique, l'horrible crémation,
tout le festival, quoi !

Il faut revenir dare-dare à Cognacq-Jay, s'occuper
du montage du journal de une heure, les raccords,
les textes de liaison. C'est un boulot, de faire un

journal télévisé, faut pas croire ! Si les gens savaient ! Ils savent, d'ailleurs, ils sont pas si cons !

Tout de même c'est un boulot agréable, en fin de compte : le public vous connaît, vous reconnaît. Humainement, c'est réconfortant ! Il ne faut pas « s'en croire », surtout, jouer la vedette. C'est un beau boulot, je vous dis. Fait par des gars dégourdis, et courageux, souvent !

*

Gloria entendait l'eau couler : une espèce de dévidement soyeux, comme un murmure. Mais on aurait dit des voix humaines, étouffées, lointaines. Ces voix disaient des choses incompréhensibles, mais, bizarrement, ces mots avaient des inflexions si caressantes que Gloria se sentait toute remuée, comme si ces paroles, avec leur drôle de « présence » presque physique, glissaient sur sa peau, comme des langues, des lèvres. Dans une lumière trouble, qui semblait, soudain, s'élever de cette eau étrange, arrivant vers elle, sur un quai tout sablé, d'un sable de couleur orangée très vive, elle découvrit un couple, qui marchait à pas lents.

Ce couple était enveloppé d'une sorte de grand burnous bariolé, qui le dissimulait, sauf les jambes, qui apparaissaient à chaque pas.

Tout d'un coup, le grand capuchon, où s'abritaient les deux figures des promeneurs, tomba, et Gloria vit alors, stupéfaite, que les « amants » — car c'étaient des amants — n'étaient autres que Félicité et Alfred. Ils la regardèrent en riant, et s'embrassèrent follement. On devinait leurs mains, sous le burnous, qui se caressaient, se pétrissaient avec passion.

Alors Gloria se sentit saisie d'une angoisse atroce. Elle voulait se lever, s'enfuir, mais elle ne pouvait bouger, comme paralysée.

Elle se réveilla en sueur, le cœur battant, avec cette angoisse encore en elle, qui persistait au-delà du rêve.

« Qu'est-ce qu'on va chercher, tout de même, pensa-t-elle, lorsqu'elle fut complètement réveillée : c'est bête, ils ne se connaissent pas, ces deux-là. Je ne comprends pas, d'ailleurs; il n'y a rien à comprendre ! »

Il y a des rêves qui laissent une fâcheuse impression, qui continuent à hanter le dormeur éveillé, comme s'ils ne voulaient pas le quitter, regrettaient d'avoir dû l'abandonner avant de s'achever.

Gloria se rappelait sa promenade amoureuse avec Félicité, le premier soir, sous le pont des Arts, et l'histoire qu'elle lui avait racontée, de ces deux clochardes qui faisaient l'amour sous un tas de hardes. Cette histoire l'avait un peu dégoûtée, Gloria, lui avait donné une sensation de malaise.

A la lumière de ce rêve, elle comprit que, dans son esprit, Félicité et Alfred, elle les associait, en quelque sorte, n'arrivait pas à ne pas être tracassée par l'image de l'un quand elle était avec l'autre, comme si elle appréhendait, ou désirait, tout en le craignant, de les faire se connaître, C'était bizarre : autant, lorsqu'elle faisait l'amour avec Gaston, elle n'avait quasiment pas l'impression de tromper Alfred, autant elle ressentait cet espèce de remords, quoiqu'elle en eût, lorsqu'elle était dans les bras de Félicité. Il y avait là quelque chose, dont elle s'apercevait plus clairement encore, depuis que ce rêve, il y avait quelques instants, lui était venu.

« Voilà que je suis complexée, maintenant ! Bon Dieu, ce n'est pas la première fois que je trompe Alfred; on dirait que c'est « un péché », ma parole ! Et maintenant, je vais avoir des scrupules envers Félicité, je vais avoir l'impression de la trahir, quand je fais l'amour avec Alfred ! Mince de mince, ça s'appelle des troubles de conscience, ça; qu'est-ce que je vais chercher ! »

Elle aurait mieux fait de dire : qu'est-ce qui vient me chercher ? Car, enfin, ses rêves lui venaient, comme à tout le monde, sans qu'elle aille les chercher.

Si elle avait eu quelque teinture de psychanalyse, elle se serait dit qu'elle avait, inconsciemment, le désir de voir Alfred et Félicité faire l'amour ensemble, et, de préférence devant elle.

Mais elle n'avait aucun rudiment de psychanalyse, alors, tout simplement, elle se contentait d'enregistrer le malaise que lui causaient ses fantasmes de la grasse matinée, et de ne pas comprendre.

Seulement, nous le savons, elle avait le réveil « ardent » et voluptueux, Gloria. Une petite chaleur, née dans le sommeil, s'exaltait en elle, se lovait dans son plexus solaire, d'où elle irradiait, et, dans la chaude humidité de son être intime, battait sa chamade au cœur de son bourgeon de chair, qui se gonflait d'aise.

C'était son état habituel, naturel.

Ce matin, cette excitation en elle lui donna à penser : elle se rappela soudain comme elle était restée inensible sous les caresses d'Alfred, qui s'en était aperçu... et comment !

« C'est que je fais trop l'amour avec Féli, voilà tout ! Et que Féli me le fait trop bien, l'amour. Peut-être que je suis devenue, tout d'un coup, clitoridienne ! Clitoridienne absolue ! Ça, alors ! Qu'est-ce que je vais devenir, si je ne peux plus jouir, ou si mal, avec Alfred ? C'est une catastrophe, un malheur, un vrai malheur ! »

Elle avait lu, comme tout le monde, un de ces petits bouquins sur la sexualité féminine, où le sexe dit faible est partagé entre deux grandes catégories. Il y a les vaginales, et il y a les clitoridiennes ! On peut être, tour à tour l'une ou l'autre, selon l'âge, ou certaines mutations mystérieuses. Gloria, pour sa part, ne s'était jamais posé la question, étant résolument, et sans effort, aussi bien vaginale que clitoridienne, et plus encore, mais la décence nous oblige à nous taire !

Alors, elle était devenue lesbienne, au contact, si je puis dire, de Félicité. Elle venait, en fait, de découvrir l'amour des femmes : il faut dire que ça l'impressionnait, pour le moins !

Alors, elle restait dans son lit, en proie à ses perplexités, qui étaient en train de calmer en elle cette voluptueuse ardeur qui faisait le plaisir et la joie de ses matinées prolongées.

Mais cette petite flamme sensuelle brûlait encore en elle sourdement. Ah, si Alfred avait pu en profiter, hier, de cette ardeur, au lieu de découvrir dans ses bras une Gloria presque totalement insensible !

Si, au moins, Gaston avait la bonne idée de venir lui faire une petite visite impromptue, ce matin : elle verrait bien si, avec lui... Elle ferait l'expérience, ça serait concluant !

Et voilà qu'elle se mettait à follement désirer la venue de Gaston. La désirer, oui, littéralement; il allait venir, la prendre dans ses bras, la jeter sur le lit, la prendre, avec une ardeur juvénile, longtemps, rester longtemps en elle, la pénétrant de sa jeune force tendre.

Ce n'était pas possible, dans l'état d'appel où elle était, qu'elle reste insensible, ce coup-là. Elle sentait le désir, l'excitation, s'agiter en elle, la brûler, comme une soif.

Dans cet état-là, elle aurait pu être capable, parfois, de sortir, d'aller à l'aventure, et Dieu sait si l'aventure est facile à rencontrer, à Paris surtout. Elle est au coin de chaque rue, l'aventure !

Si elle avait eu l'esprit incliné à la piété, Gloria, elle aurait pensé que c'était la Providence qui avait logé Gaston sur son palier, et lui avait donné des loisirs, à ce cher garçon !

*

Elle avait remarqué ce beau garçon brun, avait eu l'occasion de le croiser, ils avaient même pris l'ascenseur ensemble, au début de son installation, échangé, le petit salut, l'inclination de tête, des voisins. Il avait gravi derrière elle l'étage d'escalier qui restait à monter pour atteindre les studios, le dernier étage.

Il n'avait pas l'air « causant », ce jeune homme, était peut-être timide. Il y en a encore, de nos jours, des jeunes gens timides, mais elle n'avait pas été sans remarquer qu'elle ne lui était pas indifférente, au beau garçon brun. Il l'avait regardée, un peu à la dérobée, mais avec cet air qui ne trompe pas, il avait même rougi un brin. Ça fait toujours plaisir, ces soudaines rougeurs-là, à celles qui les provoquent !

Et, un jour, Gloria était revenue de faire ses courses, lourdement chargée, un panier débordant de mangeaille, des bouteilles qui tenaient par miracle sous son bras. Arrive le jeune homme, ascenseur : « Excusez-moi, avec tout mon barda », avait dit en souriant Gloria.

« Mais ce n'est rien, faites donc », avait, rougissant, balbutié le beau brun. Au sortir de l'ascenseur, l'étage restant à gravir à pied, la jeune femme accablée sous le poids encombrant de son bagage :

« Je vais vous aider à monter tout ça, si vous permettez », avait-il dit, du ton un peu brusque de quelqu'un qui « brûle ses vaisseaux ».

Arrivée devant sa porte, Gloria le remercia. Mais elle eut quelque difficulté à ouvrir, et à essayer de reprendre son fardeau :

« Vous seriez gentil, dit-elle à son compagnon, d'entrer déposer tout ça. Voilà, merci, vous êtes bien aimable; c'est lourd, vous devez être essoufflé, je vais vous servir un whisky; mais oui, sans façons.

— Mademoiselle... »

— Heu, non, madame.

— Oh ! excusez-moi.

— Il n'y a pas de mal (elle souriait), asseyez-vous donc. »

Elle alla quérir dans le frigidaire une bouteille de William Lawson's, amena deux verres.

« Ainsi, commença le jeune homme, après une gorgée de whisky, ainsi... » Il semblait hésiter, sur les bords, à continuer.

Gloria poursuivit à sa place :

« Ainsi, je suis mariée, et pas demoiselle, eh, oui.

— J'ai peur d'être importun, fit Gaston, qui fit mine de se lever.

— Mais pas du tout, pas du tout; ... d'ailleurs, mon mari ne rentre jamais, presque jamais, déjeuner. Son travail à la Télévision, au journal, le retient toute la journée, parfois plus. »

Ils bavardèrent, tout en buvant ce merveilleux whisky, qui délie les langues, rend la tête légère; une ou deux fois, Gaston fut pris de ces rougissements soudain de la figure, qui pouvaient le faire passer pour un timide. Gloria s'en amusait :

« Ça vous va bien, de rougir, parfois, comme vous le faites; vous savez que c'est une façon de plaire aux dames, de rougir, mais oui, mais oui ! »

Il lui plaisait décidément, ce garçon. Elle sut, par des taquineries, avec une certaine coquetterie amusée, le lui faire comprendre.


Il n'y a personne comme les timides, certains timides, du moins, pour avoir des audaces : comme il se levait pour prendre congé, se tenait debout devant elle, un peu embarrassé, et qu'elle se tenait tout contre lui, à le frôler de sa poitrine, la figure levée vers lui, soudainement, sans dire un seul mot, presque brutalement, il la prit dans ses bras, chercha ses lèvres. Elle ne fit rien, au contraire, pour qu'il eût du mal à les trouver. Il l'embrassait avec une fougue haletante, goulûment, à l'étouffer.

Le lit était tout proche, derrière elle : ils y tombèrent. C'est l'avantage, compensé par bien d'autres inconvénients, des petits logements : le lit est là, tout près; deux pas, comme ça, mine de rien, et vous y êtes ! Imaginez une salle immense, avec un lit très haut, à baldaquin, rideaux tirés, c'est, tout de même, moins commode pour une attaque brusquée, c'est une expédition, ça oblige à toute une stratégie !

D'emblée leur accord physique fut parfait. Gloria aima la façon simple, puissante et tendre dont Gaston lui fit l'amour, elle aima sa peau de brun, douce et mate, la toison frisée de ses pectoraux musculeux. Il avait une façon d'être en elle, enfoncé profond, comme dans un bonheur total où il se serait englouti, où il s'installait comme pour une éternité. Il prenait possession d'elle, une possession paisible, sereine, sûre d'elle, sans hâte, sans violence. Et l'instrument de son pouvoir charnel était puissant et doux, lui aussi une sorte de chef-d'œuvre, et qui la comblait si exactement, si merveilleusement moulé à sa cavité onctueuse : jamais elle n'avait ressenti

une telle perfection ! Il doit y avoir des sexes pré-
destinés l'un à l'autre, de toute éternité, comme des
mécaniques de miracle !

Il n'y a pas de chef-d'œuvre qui ne soit pas parfait :
ils jouirent ensemble, conjuguèrent leur plaisir, qui
venait du plus profond d'eux-mêmes; ils restèrent liés, confondus l'un dans l'autre, sans se désen-
lacer, traversés de longues ondes, comme si leur
plaisir avait du mal à les abandonner, ne s'y rési-
gnait pas.

Après l'amour, évidemment, ils se racontèrent :
Gaston, dont la famille habitait en province, et
n'était pas sans ressources, n'avait pas d'occupations
bien définies.

Paris est rempli de gens aux occupations mal définies, au sens où l'entendent les gens sérieux, qui suivent le chemin rectiligne des situations, des carriè-
res, des professions. Paris est plein de ces amateurs,
un peu marginaux, qui n'ont aucune chance de représenter jamais « un beau parti ». Ou, alors, il faut
qu'ils fassent fortune, ce qui excuse tout, comme
chacun sait. La « bohème » n'est considérée que si
elle est reluisante, et encore les gens sérieux garde-
ront toujours un reste de méfiance !

Bref, Gaston s'occupait, en irrégulier (il n'avait
pas pignon sur rue) du commerce des œuvres d'art.
C'est-à-dire qu'il faisait du courtage en tableaux (an-
ciens et modernes), pratiquait la Salle des ventes, où
il se faisait des relations, apprenait le métier « sur le
tas », se risquait à quelques achats raisonnables, avec

les subsides d'une famille heureusement compréhensive. Certes, on aurait préféré, chez lui, qu'il soit clerc de notaire, ou employé des Contributions indirectes mais, enfin, on lui faisait confiance, on faisait « contre mauvaise fortune bon cœur »; Gaston, lui, pensait résolument à faire fortune, tout simplement, ce qui lui réjouirait le cœur, et celui de ses chers parents, en même temps !

En attendant, il battait le pavé parisien, hantait la Salle des ventes, allait proposer de la « camelote » aux marchands en place, qui le recevaient, la plupart du temps, comme un chien dans un jeu de quilles. Il apprenait tous les jours que la fortune ne vient pas en dormant, et qu'il faut savoir (on ne s'y fait pas facilement) avaler des couleuvres, lesquelles ne nourrissent pas leur homme !

Toutes ces nombreuses activités lui laissaient, heureusement, une bonne partie de ses matinées libres; ça tombait bien, avec les dispositions que nous connaissons à Gloria pour s'attarder au lit, dans un état habituel de douce langueur, qui la faisait la proie de désirs mal définis, mais, néanmoins, impérieux !

C'est la Providence, ou le diable, qui crée ces situations admirables. Gloria avait ainsi, désormais, un amant épatant, empressé, discret, respectueux, doté par la nature d'une virilité miraculeusement éloquente, et qui habitait, comble de bonheur, le même palier qu'elle. Et il avait la plupart de ses matinées libres, aux heures où Alfred était absent, et où elle brûlait naturellement de désirs fous, comme une lampe allumée en plein jour, comme un feu jamais éteint, qui couve sous la cendre. Est-ce que ça n'était pas merveilleux ?

*

« Toc, toc, toc !

— Mon chéri, mon Gaston adoré, j'avais tellement envie que tu viennes, ce matin. J'avais peur que tu ne sois pas là. »

Elle était dans ses bras, toute nue sous sa chemisette de nylon.

En un tournemain il fut nu avec elle. Le grand lit les accueillit. Gaston était toujours prêt au combat, son arme prête, fourbie, qui l'encombrait dans ses étroits blue-jeans.

Gloria était tout humide et brûlante d'attente. Elle s'ouvrit à l'épieu de chair surtendue de son amant. Une certaine anxiété l'habitait : pourvu que ça marche !

Et ça marcha ! Elle le sut dès que Gaston fut entré en elle, couché sur elle de tout son poids souple, et que commença le hersage de son bélier, dans un rythme lent et puissant.

La bête de chair, quémandeuse, insistante, chaude et mate, dure et douce à la fois, se lovait si bien en elle, allant, revenant, comme pour attiser un feu, comme pour chercher le secret de ce feu qui allait éclater en elle, qu'elle répondait, dans le rythme onduleux de ses hanches, de son bassin, à cette quête obstinée qui la fouillait. Elle semblait, par son alvéole béant, ouvert comme une anémone de mer, vouloir absorber l'être de chair qui la pénétrait, l'engloutir en elle, et qu'il meure en elle, dans un spasme rageur qui l'inonderait d'une joie mouillée, et brûlante.

Et le plaisir les prit, les tordit, les secoua sur le grand lit défait.

Gloria haletait, gémissait de joie : elle jouissait, elle pouvait jouir encore sous l'étreinte pénétrante d'un homme, elle préférait ça !

\*

Il y avait de la reconnaisance en elle, maintenant.

Comment avait-elle pu penser qu'elle était restée insensible, hier, avec Alfred, que le plaisir, avec les hommes, lui était désormais mystérieusement interdit !

Ils étaient nus, tous les deux, dans le petit studio. La télé, que Gloria avait branchée, machinalement, projetait dans sa fenêtre de lumière des chanteurs, des chanteuses, qui ouvraient désespérément de grandes bouches arrondies, d'où aucun son ne s'échappait, car Gloria ne mettait qu'une ombre de son, à l'heure des chansons, qui avaient le don de l'horripiler.

Qu'il était donc beau, Gaston, ainsi nu, assis dans le fauteuil, décontracté, les jambes négligemment passées sur un accoudoir, beau comme un champion de nage après l'effort, avec son teint de peau naturellement ambrée.

« L'oiseau mâle », que ses cuisses serrées l'une contre l'autre exhaussaient, se redressait à demi, sous l'afflux d'un sang généreux, d'un restant de désir, que les ébats de tout à l'heure n'avaient pas épuisé, sans doute.

Et Gloria fut prise d'un désir soudain, à la vue de ces beautés viriles qui s'épanouissaient devant elle impudiquement, librement. Elle s'agenouilla devant Gaston, et d'un geste de douce autorité, fit retomber ses jambes de l'accoudoir, les ouvrit, et avança une bouche amoureuse, dévouée, gourmande !

Gaston s'abandonna au baiser de ces lèvres avides et tendres, posa sa main sur la nuque de l'orante qui le humait : il se tendait dans toute sa gloire, les yeux à demi fermés pour mieux savourer son plaisir.

Pas assez fermés, cependant, pour ne pas voir soudain, sur l'écran, son « malheureux rival », devant les ruines fumantes de l'entrepôt, tendre un micro obscène au quidam qui servait de « témoin oculaire » du sinistre !

Sa joie explosa dans la bouche ardente de Gloria, alors qu'Alfred entreprenait le capitaine des pompiers !

Décidément !

## VII

AMÉLIE DUPONT dite Aïda, regardait son homme
qui émergeait du sommeil à ses côtés, et ouvrait une
bouche démesurée, dans un bâillement sonore et
prolongé, qui était rien moins que distingué.

Bébert, s'étant voluptueusement étiré, ayant fait
jouer ses muscles durs, n'allait pas tarder à exprimer
son exigence du réveil. Mais il était doux au cœur
d'Amélie, d'avoir à se pencher pour butiner de ses
lèvres douces le « réveil triomphal » de son seigneur, avant de lui offrir, complaisamment, avec
soumission, d'autres privautés; c'est qu'il était exi-
geant de nature, Bébert, la « nature » parlait haut
et fort en lui, et s'exprimait par l'intermédiaire d'un
sceptre de la belle dimension, pour ne pas dire : ex-
ceptionnel !

Heureuse Amélie ! Elle était Amélie, encore à
cette heure, dans sa vie privée; elle ne devenait
Aïda qu'après avoir juché sur sa tête, recouvrant ses
cheveux naturellement roux, mais d'un roux un peu
châtain, la perruque orangée que nous lui avons
vue, flamboyant sous un réverbère de la rue chaude.

Elle s'affairait aux « travaux du matin », plongeant en vrillant, dans un mouvement ondulatoire, sa figure dévouée au plaisir de son homme. Les mains sous la nuque, Bébert, décontracté, contemplait, en amateur avisé, le spectacle d'art que lui offrait la figure aux cheveux dénoués, les joues creusées par l'aspiration, qui se penchait sur lui.

Mais, pour Aïda-Amélie, ce galant office, dans la monotonie routinière des jours, lui laissait, à défaut des lèvres et de la langue, la tête libre. Il y avait des choses vagues dans cette tête laborieuse, un petit film décousu, où êtres et choses familiers se mêlaient, passaient, fugitifs.

Une silhouette se fixa, à un moment où Bébert amorçait un doux gémissement de satisfaction, annonciateur d'un plaisir prochain. Une silhouette qui se précisa, d'un coup : ce joli neveu du « gros Félibien », son regard clair, sa prestance, et ce quelque chose qui est comme une promesse de plaisir pour les femmes sensibles. « Comment qu'il s'appelle, déjà, ce jeune homme, heu, Alfred, c'est ça : Alfred, qu'il s'appelle. »

Et, pendant qu'elle épelait les syllabes du prénom retrouvé, Bébert, dans une tension de tous ses muscles, laissait échapper sa joie, sa libation aux dieux du plaisir matinal, précieuse liqueur, abondante rosée des matins !

\*

Elle était bien contente, Amélie, que son petit homme ait bien joui ! Car elle était brave fille, et le plaisir de l'homme, quel qu'il fût, lui était une intime satisfaction. Pour exercer « le plus vieux métier du monde », il faut posséder, de nature, cet esprit de dévouement affectueux, et ce goût de « l'ouvrage bien fait », sinon : pas la peine d'embrasser la carrière. Amélie était dans la bonne tradition, elle avait l'âme sensible, une conscience professionnelle, toutes les qualités requises, en somme. Elle aurait même réussi mieux qu'elle ne l'avait fait, si elle avait eu plus de tête, et le cœur, et les ovaires, moins, « fondants ».

Par exemple, elle n'aurait jamais dû se laisser attendrir par le charme frelaté et le beau langage de Bébert, au point de se dévouer à lui, de devenir sa chose, sa providence, et sa pourvoyeuse !

Il était un peu « en rade » quand elle l'avait rencontré à X... Elle aimait la romance, Amélie; les enfants perdus, les malchanceux, lui allaient au cœur, surtout s'ils étaient beaux gars, et avec ce parfum romantique du « sable chaud », qui rôde autour des phallus monumentaux.

Bébert lui avait fait l'amour de façon tellement convaincante, il avait l'air si désemparé, qu'elle n'avait accepté aucune rémunération, attendrie et reconnaissante d'avoir pris du plaisir. Elle était ainsi, Amélie, capable d'emballements soudains, pour peu que ses sens aient parlé. Dans ces cas-là, son cœur suivait aussi le mouvement, s'embrasait à son tour. Ce n'était, la plupart du temps qu'un feu de paille. Là, ce fut plus sérieux, au point qu'elle avait suivi le beau Bébert à Paname, dont il sut lui faire miroiter les prestiges et les enchantements. Elle avait « fait la malle », abandonnant, en même temps que sa progéniture, un amant de cœur pour lequel

elle avait des bontés, qui allaient jusqu'au don délicat de quelque monnaie, les fins de mois difficiles.

Ainsi va la vie !

Nous devons dire, à la décharge du jeune Bébert,
qu'il n'était pas un mauvais garçon, au sens strict,
qu'il exerçait, à ses heures, l'honorable métier de
garçon coiffeur. Il ne pratiquait ce noble art que
comme « extra », n'aimant pas se fixer. En somme,
il travaillait assez peu, de façon résolument irrégu-
lière, et avait des fins de mois qui duraient quinze
jours, au moins, parfois plus !

Amélie-Aïda avait pour son Bébert un attachement vrai, et ne se trouvait pas malheureuse.

*

Tout en buvant leur café noir, les deux amants
laissaient vagabonder leurs pensées, la conversation
se réduisant à un échange de constatations de la
plus écœurante banalité, semblables en cela à la
presque totalité des ménages petits-bourgeois, dans
la mesure où ceux-ci ont le temps de bavarder avant
de se ruer au boulot :

« De plus en plus tarte, ce café, Amélie, tu devrais tâcher à aller voir chez Fauchon — c'est pas
loin, je t'indiquerai — voir si z'ont pas quèque
chose de mieux, ça me rappelle le jus, au régiment,
ton caoua !

— D'ac, mon Bébert. Les croissants, ils sont fâ-
meux, y'a pas à dire.

— Ouais ! enfin ! »

Pendant qu'ils échangeaient ces répliques, tout en

mâchonnant leurs croissants, leurs pensées muettes poursuivaient leur petit bonhomme de chemin, et il arriva qu'à leur insu, elles coïncidèrent, et se rejoignirent.

Alors que le neveu de M. Félibien se silhouettait encore dans la rêverie d'Amélie, elle fut surprise, soudain, par une réflexion de Bébert, qui se mit à penser à haute voix :

« Je me demande qui ça peut bien être, ton micheton, le gros, à la Légion d'honneur, celui de X., dont tu m'as causé. Félibien qu'il se nomme, tu m'as dit, de son petit nom. Des fois qu'on saurait, ça pourrait être intéressant.

— Moi, tu sais, les clients, je cherche pas trop, même les habitués. A quoi ça sert, de savoir, faut pas croire...

— Faut pas croire, faut pas croire ! peut-être bien, mais, des fois, vaut mieux savoir. Ça peut servir d'être rencardé sur un bonhomme. J'vais te dire, moi : dans la vie, faut de la tête ! Des fois que t'en aurais pas assez, hé bien, moi, je suis là pour en avoir, pour deux ! C'est moi qui te le dis ! »

Dès qu'un gars commence à dire : c'est moi qui vous le dis ! comme si, alors, il s'agissait d'une vérité indiscutable, on peut être certain que le gars en question est un mythomane, une mégalomane, de toute façon un affreux personnaliste !

Hé bien, le gars Bébert était pas mal chargé, en matière de mégalomanie. Il en connaissait un bout sur tout, ferré à glace, qu'il était, sur tous les problèmes, y compris la politique, surtout la politique. Il consacrait une bonne partie de ses loisirs, qui étaient grands, à vous refaire le monde, au bistrot, à grands coups de gueule, intarissable, péremptoire !

Alors, en pensant au client de X., dont lui avait parlé « Mélie », car elle ne lui cachait rien, sa « Mélie », au contraire elle aimait bien parler à son Jules des petits faits de sa vie professionnelle, il s'était dit que ce bonhomme devait être ce qu'il appelait, d'une expression désuète, mais dont il usait, lui, Bébert : un grossium ! Ça devait être quelque riche industriel, un capitaliste, un homme important, quoi ! Il y a plein de vicieux, parmi les rupins, qui ont le goût des filles, c'est connu. En cette matière, Bébert aurait plutôt eu tendance à généraliser. Que le gros décoré de la Légion d'honneur ait fait « monter » Solange la négresse avec Aïda et lui, ces goûts-là indiquaient, à coup sûr, que le « gros » était un rupin, un vieux vicieux qui aimait les filles de coin de rue, c'est typique, ce truc-là !

Il aurait payé cher pour être rencardé, Bébert. Ce serait de l'argent bien placé, celui-là. Il y a mille moyens de rançonner un bourgeois si on sait s'y prendre.

Et Bébert, pensif, commençait à échafauder des plans mirifiques, dans sa petite tête : on verrait ce qu'on verrait !

Comme pour une bonne stratégie moderne, il lui faudrait, d'abord, avoir à sa disposition une « force de frappe » :

On organiserait un guet-apens. Bébert, planqué dans une chambre voisine de celle où M. Félibien, Aïda et Solange prendraient leurs ébats, photographierait la scène folâtre. Un trou de voyeur (il n'en manque pas dans les hôtels borgnes) ferait l'affaire.

Bébert avait du goût pour la photographie. Il imaginait déjà la scène suggestive : le corps d'une négresse mêlé à la blancheur des chairs des autres protagonistes ! Ce serait superbe !

Il ne resterait plus — ça ne sera pas difficile — qu'à se renseigner sur M. Félibien, sa situation de famille, son métier, ses responsabilités, sa fortune possible.

Ce serait trop beau, s'il était député, Bébert n'osait l'espérer. Là, on pourrait déjà, histoire de rigoler, lui dépêcher, à la sortie d'une séance à la Chambre, le couple plutôt voyant d'Aïda et de Solange, qui le rencontreraient par hasard :

« Mais, c'est Félibien, ça, alors ! Qu'est-ce que tu fais là, mon gros minet ? »

Ensuite viendrait l'artillerie lourde : on monnayerait les photos, qui, sans cela, pourraient atterrir chez Mme Félibien, et en « haut lieu » !

Bébert, à imaginer ces festivités, rayonnait d'aise, un sourire gourmand se dessinait sur ses lèvres minces.

« T'as l'air tout content, mon Bébert. A quoi que tu penses ? » Amélie se réjouissait de voir son homme de si belle humeur :

« C'est parce que t'as bien joui, que t'es si content ?

— Non ! C'est parce que je fais des plans, que je rigole. Avec les plans que je fais, c'est plein de pognon qu'on aura, c'est moi qui te le dis. »

Et le peu galant garçon coiffeur à la manque développa ses projets grandioses à sa moitié. Celle-ci

était partagée entre un sentiment d'admiration pour
les capacités, la « tête », de son protecteur, et les
bons mouvements de son cœur. Elle avait un fond
d'honnêteté, Amélie, et puis elle le trouvait sympa-
thique, M. Félibien. Elle tenta de moraliser son
amant, en vain.

« Si j'aurais su, je t'en aurais pas causé. Ah ! les
femmes ! Ça pige jamais rien. Mais je te conseille
une chose, moi, Amélie : c'est de me laisser faire, de
pas te mettre en travers, sinon... »

Et il leva une main menaçante. Aïda, instinctive-
ment, se protégea la figure, eut un mouvement de
retrait.

« Ça va, ça va ! », fit le maître.

Il l'aimait tellement, ce geste de crainte de la
femme qui sent venir les beignes, et se protège de
ses mains, que ça lui causait un mouvement d'attendrissement, et un peu d'enthousiasme, aussi.

« Amène-toi voir, toi. » fit-il.

Amélie connaissait bien la nature spécieuse de cet
attendrissement de son homme : elle troussa haut sa
combinaison, et se tourna, prête à recevoir l'hommage un peu brutal de son seigneur. C'était dans la
nature des choses si l'on peut dire !

*

Le calcul des probabilités, c'est le fin du fin, en
matière de science; tout se ramène à ça, finalement.

C'est-à-dire que tout peut finir par arriver, cela
dépend du nombre des chances, des combinaisons

possibles du hasard. Deux personnes, par exemple, même si elles habitent deux point éloignés de Paris, et en tenant compte de leurs habitudes, de leur emploi du temps, des heures qu'elles peuvent consacrer, certains jours, à la promenade, etc. etc., elles ont une chance infime, de se rencontrer ! Mais cette chance existe, malgré tout : alors, un jour ou l'autre, comme ça...

Evidemment, en ce qui concerne nos personnages, il est à peu près impossible qu'ils se rencontrent tous dans un même bistrot, où ils seraient venus, chacun au gré de sa fantaisie, par hasard : Gloria, Alfred, Amélie, Félibien, Félicité, Bébert, Gaston, c'est plus qu'improbable, et, pourtant, on pourrait l'imaginer.

Nous n'en sommes pas là, nous n'en serons jamais là, rassurez-vous !


Pour Gloria et Amélie Dupont, les possibilités de rencontre étaient grandes : du petit hôtel meublé proche de la gare Saint-Lazare, où Aïda habitait avec son Bébert, à la rue voisine de Notre-Dame-de-Lorette, où Gloria et Alfred avaient établi leur résidence, il n'y a pas loin.

Le boulevard Haussmann, les Grands Magasins, étaient le point géométrique le plus logique pour une rencontre fortuite.

Et pourtant, il faut un nombre incalculable d'éléments pour qu'un tel hasard se produise; ça tient à si peu de choses : les heures de sortie ne coïncident pas, un encombrement (et Dieu sait s'il y en a, de

l'encombrement, dans ces parages) une station pro-
longée devant une vitrine, que sais-je, les deux êtres
qui auraient dû se rencontrer là, exactement, à cet
endroit précis, à cette minute de cette heure-là,
viennent de se rater de peu, comme on dit !

Qui sait ? C'était peut-être, la seule possibilité
dont disposait le hasard, c'est-à-dire la Probabilité.

Et jamais la rencontre n'aurait lieu ! Des mois,
des années peut-être, ces deux êtres, habitant à quelques centaines de mètres l'un de l'autre, ne seraient
jamais en présence, n'auraient jamais ce sursaut de
surprise heureuse ou non, à la vue de celui, ou de
celle qui surgirait soudain, là, devant lui, comme
une apparition !


Le hasard avait déjà tissé des fils, il est vrai, puis-
que Félibien et Amélie s'étaient trouvés réunis dans
un bistrot, où le vacarme de la rue avait poussé Alfred à se réfugier; rencontre unique, sans doute,
pourquoi se répéterait-elle ? Chacun repart de son
côté, la vie désassemble ces fils croisés.

Quand Alfred avait raconté à Gloria comment il
avait surpris son oncle dans un bar proche de la Madeleine, elle n'avait pas accordé à l'incident plus
d'attention qu'il n'en méritait : qu'est-ce que ça
pouvait bien lui faire que cet abruti de député en
goguette prenne un Martini en compagnie d'une
femme galante plutôt tartignole, elle s'en balançait,
et comment !

Il lui était plutôt antipathique, le Félibien en
question. Alors, ça la réjouissait, au fond, qu'il se

compromette, perde son prestige aux yeux de son
cher neveu !

« La vie des gens, après tout, qu'est-ce que ça
peut bien foutre ! » pensa Gloria, lorsque Alfred lui
fit part de sa rencontre avec son oncle.

Oui, qu'est-ce que ça pouvait bien lui faire que
l'oncle Félibien ait des goûts bizarres, qu'une certaine vulgarité, ou une perversion, le ramène à des
amours déshonorantes. Quelle vie n'a pas ses secrets,
n'est-ce pas ?

Un jour qu'elle rêvassait, elle se rappela ce petit
fait, et, par une association d'idées presque automa-
tique, en vint à penser à sa mère. Ça lui arrivait,
parfois, d'évoquer le souvenir de la fugitive :

« Qu'est-ce qu'elle peut bien devenir, celle-là,
qu'est-ce qu'elle peut bien fabriquer ? »

Les premiers temps, la tante qui avait recueilli la
petite Germaine, reçut des nouvelles d'Amélie, qui
envoyait régulièrement des mandats pour l'entretien
de la fillette. Les mandats continuèrent d'arriver,
mais les lettres cessèrent peu à peu. De toute façon, Amélie donnait peu de détails, sinon aucun,
sur sa vie, voilait pudiquement ses activités peu
avouables; sa sœur acariâtre et vertueuse ne se pri-
vait pas d'imaginer, évidemment, à quoi sa « putain
de sœur » pouvait consacrer son temps. La future
Gloria, pour un temps encore Germaine, ne pouvait
rien ignorer des débordements de sa maman, elle en
avait les oreilles rebattues à chaque occasion.

Elle était partagée, Gloria, entre la juste haine
qu'elle pouvait ressentir pour une mère « dénatu-
rée », qui l'avait abandonnée, et une certaine admi-

ration. Il fallait être « une nature », pensait-elle, pour partir ainsi à l'aventure, en sacrifiant tout, à commencer par les premiers devoirs, abandonner son enfant, pour filer avec une espèce de maquereau, c'était grandiose, à de certains égards ! Gloria avait en elle un fond d'anarchie, de révolte, que la pratique quotidienne de sa triste et vertueuse tante n'avait fait qu'exaspérer. Et puis, sa peu avouable mère était une femme douce et gentille, elle avait bon cœur, tandis que l'autre pimbêche, l'irréprochable tante, avec son cul plat et ses jambes maigres, alors, pardon !

C'était vrai, pensait Gloria, que chaque vie avait ses mystères, ses secrets, ses ombres; pour sa mère, c'était peut-être pire encore que ce qu'on pouvait imaginer, à quel point d'abjection la malheureuse avait-elle pu descendre ? Ces abîmes supposés exerçaient une sorte de fascination morbide sur Gloria. Elle aurait voulu savoir; elle avait, de la vie de sa mère, elle devait se l'avouer, une curiosité malsaine !

Le secret, oui, le secret ! Elle vivait bien aussi avec ses secrets, elle, Gloria. Félicité, par exemple, c'était son mystère, à elle, elle la cachait, finalement, à Alfred, ne se décidait pas à les faire se rencontrer.

Et, même s'ils se connaissaient, Alfred resterait toujours dans l'ignorance, pour Félicité et elle. Il soupçonnerait bien la nature de ces rapports, il serait jaloux — il l'était déjà — mais il ne saurait jamais rien de précis, au bout du compte.

Et idem pour Gaston !

Elle pourrait les réunir tous les trois, avec elle,

Alfred, Félicité, Gaston. Chacun saurait, en son for intérieur, qu'il était l'amant, ou le mari, ou « la petite amie » de Gloria, mais ne pourrait rien savoir des autres; se méfier, oui, mais ce serait tout !

Et Gloria devait s'avouer que cette situation l'enchantait, la grisait presque :

« Décidément, je n'ai pas une bonne nature, c'est marrant, ça me plaît ! » Et elle se souriait, intérieurement; pour un peu elle se serait donné du plaisir, avec un doigt, en pensant à tout « son petit monde », et à sa duplicité !

*

Elle sortit, avec toutes ses pensées troubles en tête, qui continuaient à s'agiter en désordre.

Il lui fallait la foule, le mouvement des rues, se mêler à tous ces êtres indistincts, anonymes, dont elle ne saurait jamais rien; il lui fallait tous ces désirs qui rôdaient, ces frôlements, ces regards parfois, qui la déshabillaient, ces paroles murmurées à son oreille, ces propositions sans ambiguïté que de chaudes haleines lui soufflaient au visage.

Elle aimait se laisser porter par le flot humain de six heures du soir; elle se sentait prête à tous les abandons, il y avait comme une chaleur en elle, une petite fièvre dont elle ne connaissait pas la nature.

Peut-être lui suffisait-il de se mêler à la foule, de sentir tous ces désirs épars se fixer sur elle, au passage, puis l'abandonner, comme si elle avait été caressée par un souffle tiède et intermittent, pour que sa petite fièvre se calme d'elle-même.

C'est peut-être ça, l'attrait des grandes villes : sentir grouiller autour de soi, presque palpable, cette masse de désirs, cette fringale de sexualité sans visage, une sorte de prostitution de soi à une multitude de convoitises éparses, ce besoin humain « du troupeau », que beaucoup, sans doute, subissent naïvement, sans même s'en douter une seconde ?

\*

Elle entra dans ce bar proche de la Madeleine, que nous connaissons déjà, où elle était venue, une fois, avec Alfred.

Un type la suivait depuis un petit moment, un grand type blond, pas mal, assez élégant. Il entra à sa suite dans le bar, s'assit non loin d'elle.

Un désir en elle, soudain, tandis que le type la regardait en souriant à demi, sans équivoque, un désir bizarre : faire comme si elle l'aguichait, elle, la première. C'était un jeu subtil, laisser croire à ce type qu'il avait affaire à une semi-professionnelle, s'offrir...

Elle se leva, alla, avec un naturel parfait, s'asseoir à la table du type, après un clin d'œil « discret ».

Elle joua très bien « le jeu ».

Ils gagnèrent, lui la précédant, un hôtel résolument « de passe », derrière les Galeries La Fayette.

Elle eut pour son « client » toutes les complaisances qu'il était en droit d'attendre d'une professionnelle... elle empocha son « petit cadeau ».

Elle avait joui discrètement, tout à son rôle.

Après, elle ressentit un peu de cette trouble amer-

tume qu'au fond d'elle-même elle était allée chercher. Elle se serait voulue dégrisée, avec une ombre
de dégoût, du vague-à-l'âme. Elle n'eut qu'un peu de
déception, à peine morose.

Bizarrement, elle se sentait déçue d'avoir eu du
plaisir; ce n'était « pas de jeu » !

« C'est ce qu'on appelle : faire une bêtise, c'est
vraiment pas malin ! Il n'y a pas de quoi pavoiser,
merde ! » se dit-elle.

Et elle rentra pour le repas du soir en famille,
avec Alfred.

# VIII

A FORCE de faire briller ses lavabos et ses miroirs,
en répétant son rôle de « fée du logis », Gloria aurait pu devenir démonstratrice dans un grand magasin; tant de méritoires efforts furent récompensés, et
c'est devant l'œil grand ouvert des caméras qu'elle
se livra enfin aux joies du ménage, en compagnie
d'une petite copine, qui lui donnait la réplique :

« Avec Phoebus, ma petite, c'est pas difficile, une
caresse, et tu mets le soleil dans ton bidet ! Et n'oublie pas

> qu'avec Phoebus,
> rien ne s'use ! »

Elle avait répété ce ravissant petit texte pendant
dix heures d'affilée, avant que ce soit au point.

La petite copine, qui avait à dire :

« Oh ! Je suis éblouie ! », en chaussant des lunet-
tes anti-soleil, était arrivée, épuisée, jusqu'à la crise
de larmes, devant des « techniciens » impitoyables,
qui se tapaient sur les cuisses, en rigolant, et, tout
soudain, devenaient furieux, jurant et sacrant
comme des païens !

Tout de même, lorsque, plusieurs soirs de suite,

Gloria se vit apparaître sur le petit écran, avant le journal, elle avait une bouffée d'orgueil, et, surtout, une bouffée d'espoir : c'était ses débuts à la télé ! Evidemment que c'était un peu minable, mais, enfin, c'était toujours ça. Les plus étroites portes de service n'en donnent pas moins accès au Palais. A elle, ensuite de se débrouiller dans le labyrinthe. Il n'y a que le premier pas qui coûte ! etc, etc.

Elle se répétait tous ces lieux communs pour se donner du cœur au ventre. Elle voyait faiblement briller dans le lointain le jour où, en compagnie de sa chère Félicité, elle ferait une irruption glorieuse dans le bon feuilleton.

Il était question qu'Alfred, à qui, décidément, on faisait trop de misères au Journal, devienne « assistant ».

C'est lui qui ouvrira la porte des feuilletons aux deux amies.

En attendant de dérouler, devant douze millions d'admirateurs, aventures sentimentales et péripéties romanesques, les deux amies vivaient, au jour le jour un roman qui n'aurait pu, en tout état de cause, passer devant la foule anonyme, que protégé par un rectangle blanc qui aurait recouvert toute la surface du petit écran !

Disons, tout à fait entre nous, que c'est dommage, à l'heure ou l'éducation sexuelle fait une entrée timide mais « irréversible » dans les classes de sixième, qu'une soirée de télévision pour adultes ne soit pas réservée à un public qui n'a pas, peut-être, autant de lumières sur ces délicates questions, qu'on prétend nous le laisser croire.

Imaginez la légendaire chaumière, auvergnate de préférence, le soir d'un jour ouvrable :

Sont répandus, autour d'un aïeul, vénérable et chenu, et de sa fidèle compagne, qui dodeline de la tête au-dessus de l'assiette où fume « la choupe », le fils du laboureur, son épouse aux gros seins blancs, dont l'un dégouline jusqu'aux lèvres avides du « petit dernier ». La marmaille éparse plonge des cuillères de bois dans les écuelles fumantes, un œil sur Giscard, qui explique à tout ce joli monde les subtilités de l'expansion. Ils sont tellement captivés, tous, à commencer par l'aïeul au chef branlant, qu'il tombe autant de bonne soupe dans les chemises entrebaillées, sur les braguettes rustiques, que dans les gosiers...

Le Journal terminé, et après que la Publicité a donné, entre autres, envie d'acheter le rince-bidet Phoebus (elle est jolie, la rousse qui fait briller la faïence), la speakerine de service annonce la dramatique du vendredi soir, jour de Vénus, et conseille aux enfants de se retirer.

« Ch'est nouveau chà, il paraît que ch'est le chinéma cochon !, dit le laboureur, en clignant de l'œil, tout en tapant d'une main joviale sur la croupe de son épouse !

— De mon temps... dit la vieille, en hochant la tête.

— Hé bé, on va voir chà, fait l'ancêtre, il faut vivre avec chon temps ! »

« La vie privée d'une midinette » annonce le générique, et ça commence.

Ah ! tiens, celle qui joue ça, mais c'est la même

que celle qui faisait la publicité, tout à l'heure pour la poudre Phoëbus, mais zoui !

L'héroïne est dans sa chambrette, sous les toits, il y a un piaf dans une cage, qui s'égosille. Arrive une copine à l'héroïne, une grande, brune, qui est belle fille, ma foi.

« Un peu maigre, qu'elle est chette grandache-là », fait le laboureur, critique.

Les deux Parisiennes bavardent, se disent des petits riens, et, tout d'un coup, la belle rousse, à sa grande copine :

« Comme tu es loin, ma chérie, approche ! »

La grande s'avance, en ondulant, lascive, un sourire ambigu aux lèvres. L'autre lui défait son chemisier, révèle les seins admirables, les caresse, puis approche sa figure, la plonge entre les seins, où elle applique un baiser qui n'en finit plus... de fil en aiguille, la « petite main » (car la rousse est « petite main » dans une maison de couture) déshabille à demi sa belle compagne, caresse les hanches...

« Ch'est la « nouvelle vague », pour chûr, fait le laboureur intéressé.

— Qu'est-che qu'a font, les dames ? interrogent les petits Arvernes, qui ne sont pas allés se coucher, comme le leur a conseillé la speakerine.

— On vous échpliquera chà une autre fois, coupe le père-paysan, qui n'a aucune disposition, d'apparence, pour la pédagogie libérale !

— Moi, murmure son épouse, j'y aurais jamais penché, à des choges comme chà. Y chont plus évolués en ville, cha doit être dichtrayant, de faire ches choges-là, bien dichtrayant ! »

Et la séance d'amours saphiques se poursuit sur le petit écran, jusqu'à ce que les héroïnes ne soient plus qu'un ravissant emmêlement de chairs lyriques.

Hélas, la Radio-Télévision Française n'en est pas encore là, ce n'est qu'un rêve, pour le moment !

Et Gloria et Félicité ont tout loisir de se faire l'amour dans leur chambrette close, loin du regard indiscret des caméras, et sans être obligées de tourner les mêmes scènes pendant des heures, ce qui serait épuisant, et, qui plus est : fastidieux !

\*

Hé oui, ça avait fini par arriver : à une table des Deux-Magots, Gloria, Alfred et Félicité buvaient un Martini-dry.

Alfred était curieux, depuis le début, de faire la connaissance de la « meilleure amie » de sa femme. Il évitait le café-théâtre où Gloria faisait ses premières armes. C'est un peu bête, un mari qui a l'air de se coller à sa femme, de ne pas la quitter d'un pas, comme s'il la surveillait, ou s'il semblait ne pas la croire capable de se débrouiller toute seule, de ne pas pouvoir faire un pas seule. Il devinait que ça aurait gêné Gloria, cette impression qu'elle aurait donnée d'être « en tutelle »; elle naviguait seule dans sa vie professionnelle, et lui de son côté, à paraître indépendant, se sentait plus à l'aise dans ce Paris qui, tout de même, impressionne et effraie les provinciaux.

Et il avait trouvé, chez Gloria une réticence à lui faire connaître son amie. Il se doutait bien qu'il n'y avait pas entre elles une simple camaraderie, que c'était quelque chose d'autre, de plus profond. Il ressentait, pour la première fois la jalousie qu'un homme éprouve, lorsqu'il sent sa femme engagée dans cet univers mystérieux des amours, des amitiés particulières.

Ce n'est pas une jalousie de même nature que celle qu'il nourrirait pour un autre homme. C'est un poison plus subtil et, dans un sens, plus insidieux et plus tourmentant. Car l'homme se sent désarmé, il n'a guère — il le sent — de possibilités de « reprise ». Cet amour, d'une qualité si particulière, dans un domaine où, il le sait, il n'a pas accès... il se sait terriblement désarmé, là devant.

Alors, dans la plupart des cas, il ferme les yeux, accepte l'inévitable, consent à ce partage, qu'il n'accepterait jamais avec un autre homme. Ça ne joue pas sur les mêmes cordes sensibles, la vanité n'est pas atteinte, du moins de la même façon.

« Comment peut-elle bien être, cette Félicité ? » se demandait-il, et il avait d'elle une curiosité qu'il ne pouvait pas se cacher.


Il vit arriver une grande fille brune, aux hanches minces, aux jambes longues de sportive, que moulaient des pantalons étroits. Elle n'avait pas l'air trop « garçonnière », au premier coup d'œil, non. Elle n'était pas de ces filles qui affichent, souvent à leur insu, leur « goût ». Mais il se dégageait d'elle, néanmoins, quelque chose d'équivoque, d'étrange. Son

beau, son très beau visage, n'était pas, tout à fait, de
cette époque. Elle avait l'air de sortir d'un tableau de
Gustave Doré, avec ses longs cheveux noirs aux longues boucles serpentines, ses yeux d'un vert phosphorescent, comme minéraux, qui semblaient venir d'un
autre monde, mais sans qu'elle eût l'air « drogué ».
Non, il émanait d'elle, au contraire, une impression
de force souple, un peu féline, sans rien de lymphati-
que, de pâle, comme paraissent beaucoup de ces filles
qui hantent Saint-Germain-des-Prés, et qui ont l'air
de spectres en balade, flottant dans les courants d'air.

Aux simples regards du curieux intéressé, qu'il
était, Alfred mêlait le coup d'œil du professionnel
qu'il était en train de devenir. En Félicité il voyait
la femme, certes, et Dieu sait si elle le préoccupait,
mais il regardait aussi l'artiste. Disons que, sur ce
plan-là, aussi, elle lui fit une forte impression. Sa
« photogénie » était indiscutable, elle était naturellement théâtrale.

« Mon mari, Alfred, fit Gloria, désignant Alfred
qui se levait pour saluer.

— Bonjour, fit Félicité. Tu es magnifique, ma
chérie. Ça te va bien, le soleil dans les cheveux »,
dit-elle à Gloria, en lui frôlant, d'un doigt léger, la
longue boucle rousse qui descendait sur sa joue.

Celle-ci ne put s'empêcher de rougir.

« Ce que je suis bête, quand même ! »

Elle s'en voulait d'un mouvement incontrôlé de sa
main vers Félicité, de cette rougeur gênée, que son
mari n'avait pas pu ne pas surprendre.

Ils avaient en face d'eux le célèbre clocher aux pieds duquel, à cette même terrasse où ils buvaient leur Martini, tant de célébrités des lettres et des arts s'étaient assises.

« C'est tout de même pas mal, ici, fit Félicité. Ça devait être mieux encore avant. Avant les bagnoles, le bruit, tout ça !

— Il faudrait pouvoir vivre dans un patelin perdu, fit Alfred. Et encore, c'est pas sûr qu'on y trouverait le calme. Et on risquerait de s'y emmerder pas mal. Paris, tout de même, il y a de la ressource. La preuve, c'est que nous y sommes. »

« Qu'est-ce qu'on peut balancer comme vérités premières, autour d'un guéridon », pensait Gloria, qui se marrait en douce.

Elle avait récupéré, sa petite émotion bébête de tout à l'heure était loin. Elle s'amusait à laisser les deux autres patauger dans les lieux communs de la conversation des gens qui viennent de se connaître, et n'ont pas grand-chose à se dire. Ils sont toujours un peu pénibles, ces démarrages, où l'on ne trouve à parler que du temps qu'il fait, et autres fariboles.

« N'est-ce pas qu'elle est belle, Félicité ? »

Elle demanda ça, subitement à Alfred, elle ne savait trop pourquoi. A la réflexion, en prenant le temps de réfléchir à ce qu'elle allait dire, ça n'aurait pas été, certainement, cette question idiote.

« Ton mari ne va pas me dire que je suis moche, il est trop bien élevé pour cela, t'es bête ! fit Félicité en riant.

— Félicité est belle, elle le sait, toi aussi, tu le sais... »

Il avait un air mi-pincé, mi-narquois, en disant cela, Alfred.

Il y eut comme un ange, qui passa; peut-être alla-t-il se percher, l'ange du silence embarrassé, en haut du clocher de l'église, comme un vulgaire pigeon.

« J'ai, peut-être la possibilité de vous faire quitter pour un temps Paris et sa cohue, ce n'est pas impossible, reprit Alfred, au bout de quelques instants. Pas impossible. »

Il ne put s'empêcher de prendre un petit air important, en disant cela, l'air du « gars dans le coup », qui peut rendre service. C'est difficile, de ne pas le prendre, cet air-là, surtout quand on est jeune, et très neuf dans les affaires. On se donne vite des airs d'importance. Disons, à la décharge d'Alfred, que ce n'était, chez lui, qu'une nuance dans le ton. Il ne jouait pas les « importants », grâce à Dieu !

« Oui, continua-t-il, en réponse au regard interrogateur des deux copines, oui, il est fortement question d'un grand feuilleton à épisodes, quatre, qui seront hebdomadaires : une « dramatique », quoi. Peut-être que je pourrai me faire filer là-dedans comme assistant, avec du « pot » : il y a de la demande. En ce qui vous concerne, toutes les deux, je vous dirai quand il y aura des auditions. J'ai un copain qui est dans le coup, ça doit aller tout seul, pour vous, enfin, j'espère.

— Chouette ! s'écria Gloria. Et qu'est-ce que c'est, cette dramatique ?

— Un truc en costumes, un truc historique, avec

des mousquetaires, des carrosses, et tout et tout. C'est un amour secret de Louis XIII, l'histoire se situe en Périgord, d'où était l'héroïne du film, qui a réellement existé. Elle a fini religieuse. C'est tout ce que je sais.

— C'est intéressant, ça ! » fit Félicité.

Elle disait cela avec juste assez de détachement, car elle n'aimait pas montrer de l'enthousiasme, comme une gamine, à tout propos. Elle avait, naturellement, d'ailleurs, un ton détaché, surtout lorsqu'on avait l'air de lui rendre un service. Ça la contrariait d'être débitrice, de devoir montrer de la reconnaissance, mais elle s'arrangeait pour que ça ne se voie pas trop.

Gloria admira sa maîtrise dans cet art difficile d'accepter des services, comme s'ils lui étaient dus, mais sans choquer la personne qui lui proposait ses bons offices, par sa froideur.


« Me voici, pensait Alfred, en train d'envoyer Gloria et sa copine dans une espèce de villégiature, sans moi, car je ne crois pas que je pourrai trouver quelque chose à faire dans cette émission. C'est ainsi, je ne peux pas m'empêcher de vouloir rendre service, c'est plus fort que moi ! Elles vont se payer du bon temps, en Périgord, les deux, là. De toute façon, elles peuvent s'en payer ici autant qu'elles en veulent ! »

Et il comprit, une fois de plus, à ce mouvement d'humeur jalouse, combien il était attaché à Gloria, combien il était capable de souffrir par elle.

Mais, bizarrement, il n'arrivait pas à avoir pour Félicité cette antipathie qui aurait dû naître immé-

diatement, étant donné sa jalousie, et le fait que,
vraiment, la grande fille n'était pas spécialement aimable, ne faisait rien pour l'être; au contraire, elle
paraissait plutôt distante, semblait ne pas prendre
part aux autres, un peu lointaine.

Malgré cela, ou à cause de cela, Félicité avait
beaucoup de séduction, elle intriguait, on avait envie de forcer son attention, de savoir ce qu'il y avait
derrière son apparente froideur, son détachement.
En un mot, elle attirait, comme les êtres de mystère,
que l'on sent moins indifférents qu'enfermés en
eux-mêmes, dans leur secret.

C'est en proie à tous ces sentiments qui s'agitaient
en lui, et qui n'allaient pas sans le tourmenter,
qu'Alfred laissa les deux amies au café.

Il avait à faire. Elles avaient un long après-midi
devant elles.

Félicité n'avait pas les mêmes raisons qu'Alfred
d'être jalouse. Gloria ne lui était pas « indispensable », seuls, en apparence, les sens et l'amitié entraient en composition dans son attachement à Gloria. Et pourtant... pourtant, elle sentait en elle
comme une espèce de petit pincement d'amertume,
il y avait un nuage gris en elle, lorsqu'elles regagnè-
rent sa chambre du quai Voltaire.

« Tu vois, Gloria, dit-elle, après un temps de
marche silencieuse. Tu vois, je me demande si les
gens, finalement, ne tournent pas, chacun pour soi,

dans leur « petit truc à eux ». Je dis un peu ça pour
nous deux, évidemment. Ça me fait drôle, de te voir
avec ton mari, c'est déprimant. Parce que c'est ta
vie, ta vraie vie, avec ton mari. Moi... moi, je suis
ailleurs, je ne suis là qu'en passant, je suis en dehors, finalement. Et, même si nous vivions ensemble,
je crois que ça serait pareil, tout compte fait, tu se-
rais dans ton truc, ton histoire, moi dans la mienne,
seulement voilà, moi, je n'en ai pas d'histoire, au
bout du compte, tu ne peux pas comprendre.

— Mais, je t'aime, moi ! pourquoi tu me dis ces
choses-là ? Je sais bien que ça n'est pas si simple. On
ne devrait avoir qu'une vie, c'est vrai. Si c'était possible ! Il me tarde d'être rentrée chez toi, il me
tarde !   »

Et Gloria prit la main de son amie et la serra fortement, en levant vers elle un regard tendre et un
peu implorant.

Il y avait le merveilleux paysage de pierre et
d'eau, sous la fenêtre où elles s'accoudaient, le merveilleux spectacle gâché par le flot des autos, la démente agitation mécanique, qui n'arrête jamais.

Félicité ne boudait pas, mais elle restait silencieuse, comme perdue dans la contemplation.

Gloria avait passé sa main autour de la taille de
son amie. Elle sentait palpiter la vie tiède dans sa
paume, le souffle égal qui soulevait la poitrine bien-
aimée, la peau douce du ventre au contact de ses
doigts, dans l'espace du pull-over remonté.

Elle posa sa joue sur l'épaule de Félicité, la frotta

comme aurait fait un chat, embrassa la base du cou. Elle ressentait une immense tendresse en elle, teintée de désir. Elle aimait ce silence de Félicité, qu'elle fût un peu triste, sa grande amie, à cause d'elle.

« Viens, fit-elle, c'est fatigant, toutes ces bagnoles, ça fait un potin, viens. »

Et elle emmena Félicité hors de la fenêtre qu'elle referma.

Il n'y eut plus que le grondement étouffé de la ville. Elle tira le rideau, fit une pénombre, qui semblait appesantir le silence.

Le grand lit les accueillit, pelotonnées l'une dans l'autre, immobiles.

Comme deux chats qui reposent enroulés l'un dans l'autre, paisibles, il y en a un, tout d'un coup, qui commence à jouer, à mordre le ventre ou les oreilles de son copain, ainsi Félicité se déplia d'un coup, alors que, silencieuse et douce, Gloria lui caressait la main, comme pour lui montrer sa tendresse, comme pour la bercer de sa tendresse.

Elle fut debout, d'un coup, s'échappant, leste, vive, et, en un tournemain, se déshabilla entièrement.

Elle se campa, droite devant Gloria, comme exhaussée, prenant toute sa taille, cambrée, les pieds posés à plat, légèrement écartés :

« Admire-moi », fit-elle, de sa belle voix grave.

Elle avait l'air, ainsi dressée immobile, dans la lumière orangée du rideau tiré contre le soleil, d'une

déesse de Gustave Moreau, ce peintre des Hérodia-
des fin de siècle, aux longs cheveux semés de pierre-
ries tombant sur des corps voluptueux et racés.

« Que tu es belle, murmura Gloria, qui se dressa
à demi, et s'accouda, le menton dans la main, pour
mieux, semblait-il, admirer son idole. Tu es si belle
que je veux t'adorer à genoux, ne bouge pas. »

Et elle descendit du lit, s'agenouilla devant Félicité.

Lentement, comme pour une incantation, elle tendit ses mains, les posa sur les cuisses frémissantes de
« l'idole », et les caressa, lentement, doucement,
avec onction.

Et elle posa sa joue, ajoutant sa caresse à celle des
mains, et ses cheveux glissaient sur la peau ambrée,
comme une eau vivante et rousse.

Elle avança encore sa figure, tendit ses lèvres,
comme pour boire. La fleur sombre et duveteuse, le
fruit de chair bistre étaient, là, présents dans leur
chaleur moite, offerts à sa soif.

Félicité s'écarta, s'entrouvrit au baiser qui montait le long de ses cuisses et se cambra plus encore,
se tendit, s'offrit, fontaine de chair frémissante, à la
dévotion de son adoratrice.

Mais les divinités, parfois, descendent sur la terre,
visitent les fidèles, se découvrent, elles aussi, la proie
des passions humaines. Les mythologies sont pleines
de ces incarnations aimables. Quand Félicité eut
reçu l'hommage de son adorante amie, qu'un fantastique orgasme l'eut fait se tendre dans un cri,

qu'elle eut fondu dans une rosée d'amour, le culte se prolongea sur le grand lit, et la déesse devint prêtresse, officiante, à son tour.

Les derniers feux du soleil, lorsqu'ils incendièrent la chambre d'une grande lueur fauve, illuminèrent les corps enlacés des deux amies, qui gisaient confondus, ivres de plaisir.

\*

L'audition eut lieu quelques jours plus tard.

Les deux amies s'en tirèrent très bien : on les préviendrait, mais elles pouvaient considérer, d'ores et déjà, que ça collait.

« Que je suis heureuse, ma grande. On va être heureuses, pendant ces trois semaines, là-bas, tu verras ! »

Félicité refroidit un peu l'enthousiasme de sa petite amie :

« On va surtout se tuer au boulot, avec une bande d'énervés chroniques. Tu vas voir ce bordel. C'est, tout de même, un début. Allons, ne faisons pas la fine bouche; quant à être heureuses, c'est-à-dire, tranquilles, c'est une autre histoire ! »

Néanmoins, elles étaient très contentes.

« Les voyages forment la jeunesse, ironisait Félicité, et il paraît que c'est un très beau coin, le Périgord. D'ailleurs, le gars qui a dit que les voyages forment la jeunesse, était de quelque part par là. On aura, peut-être, quand même, la possibilité d'en voir un bout, du Périgord. »

## IX

Dans l'auto qui les emmène à vive allure (selon l'expression consacrée) vers le Périgord « noir », où elles vont faire leurs premières armes dans un feuilleton « de cape et d'épée », Gloria, seule sur le siège arrière, a tout loisir de bouder, et de rêver.

Elle boude parce qu'elle aurait voulu avoir Féli à ses côtés; elle rêve parce que Félicité et leur conducteur n'échangent que de rares paroles; sans doute que ni l'un ni l'autre n'aime parler en voiture, Félicité toute à la contemplation des paysages qui défilent, Rastignac préoccupé, lui, de sa conduite, c'est gai !

Elle a mal au cœur dans les tournants, Féli, c'est pour ça qu'elle a voulu être devant, avec Rastignac, un de ses copains, un acteur aussi, et qui, justement tourne dans le film de cape et d'épée.

« Ce qu'il peut avoir l'air prétentieux, ce Rastignac de mes fesses, râle Gloria. A-t-on idée de s'appeler Rastignac, comme l'autre, le héros de Balzac (je crois bien que c'est Balzac). On a vu un feuilleton, justement, où il y avait ce Rastignac, celui de Balzac, oui, je ne me rappelle plus le titre. Il est de

la Dordogne, Rastignac. Quand il se sentira en
veine de parler, qu'est-ce qu'il ne va pas nous bassi-
ner avec « son Périgord natal », tout nous expliquer; moi, ça m'emmerde, quand on m'explique un
pays, un patelin. On va rigoler, merde, alors ! »

Et Gloria s'absorba dans la vue du paysage, qui
commençait à s'animer. Ils avaient décidé de prendre, après Vierzon, la route qui va à Brive en passant par Guéret. C'est une route plus longue, avait
dit Rastignac, mais tranquille, et beaucoup plus pittoresque :

« Vous verrez, c'est passionnant ! avait dit leur
automédon, passionnant ! C'est l'ancienne route,
d'avant la Nationale. Pour nous, ce sera le chemin
des écoliers, mes chéries !

— Ça doit être une « pédale », ce type-là »,
s'était dit Gloria.

Elle préférait ça : au moins, il ne ferait pas la
cour à Félicité !


La route commençait maintenant à tourner. Des
bois grimpaient sur les collines, des petits villages
haut perchés les regardaient passer.

« Ça va, ma chérie ? interrogeait Félicité, se retournant à demi.

— Ça va, tu n'as pas mal au cœur ?

— Si Féli ne se sent pas bien, j'ai un flacon d'eau
de mélisse des Carmes, c'est de la citronnelle : c'est
souverain pour les malaises », fit Rastignac, d'un petit air maniéré.

Et Gloria se replongea dans sa rêverie.

Après un hâtif déjeuner dans un « routier », on aborda les côtes boisées de la Corrèze. Une profusion incroyable de végétation exubérante, d'arbres qui ont l'air plus grands, plus robustes qu'ailleurs. Les villages qui s'espacent, on a vraiment l'impression, dans cette Corrèze-là, d'être dans la nature, la vraie, une espèce de paradis terrestre un peu angoissant, parfois, à force de solitude.

Au bout des agglomérations, des hameaux plutôt, qui surgissent entre les arbres, de loin en loin, sur le seuil d'une maison basse, de granit, apparaissent les premiers idiots de village, avec la jeune génération des mouches de l'année sur le visage. En ville, on doit les cacher, les idiots, il faut croire, tandis que, dans les villages, il semble qu'on aime bien les montrer aux touristes : on les met sur le seuil, au bord de la route, de tradition !

L'herbe haute et grasse des prairies, à bord de route, invitait à la halte, au repos.

Gloria se sentait euphorique maintenant. Elle se sentait en même temps engourdie et énervée, comme dans une ivresse lucide. Une longue route en auto, elle l'avait déjà remarqué, lui faisait cet effet-là. Mais ce qu'elle ressentait plus nettement, ce coup-ci, c'était que cette excitation prenait une figure très précise : elle aurait emmené Féli assez loin dans les sous-bois, si elles avaient été seules ! Elles ne pouvaient tout de même pas demander à Rastignac de les attendre, pendant qu'elles iraient folâtrer sur l'herbette.

Elle proposa quand même qu'on s'arrête :

« Il doit faire bon. Si on allait respirer un peu la chlorophylle ? »

Ils descendirent :

« Ne vous asseyez pas trop dans l'herbe, dit Rastignac, il paraît qu'il y a des vipères; c'est réputé pour ça, par ici.

— Attention de ne pas nous asseoir sur « des vipères de fesses », bouffonna Gloria, on ne sait jamais !

— Ouf ! ce qu'il fait bon respirer, fit Félicité en s'étirant, esquissant quelques entrechats. Ah ! si on pouvait rester là, se perdre dans les bois ! coucher à la belle étoile. Ah ! la liberté !

— Profitons-en, dit Rastignac, parce qu'après, boulot, boulot, fillettes ! »

*

Le soir commençait à tomber, lorsqu'ils attaquèrent la longue descente vers Brive, ses tournants qui n'en finissent plus, sous les châtaigniers centenaires qui épaississent l'ombre.

C'est l'heure où une certaine angoisse peut saisir le cœur, amenant avec elle fantasmes et souvenirs pénibles, qui semblent attendre cet obscurcissement, cette menace de la nuit qui vient, pour surgir.

Gloria, tassée toujours sur la banquette arrière, ressentait un vague malaise, qui prit vite figure, et le souvenir d'un fait récent lui revint :

Elle était au coin de la Chaussée-d'Antin, dans la grande bousculade de cinq heures du soir, quand, tout d'un coup, sur le passage clouté, elle se trouva poussée contre une femme qui marchait à sa hauteur. Avant qu'elle eût pu la voir, la reconnaître, quelque chose en elle l'avertit, l'espace d'une seconde, d'un dixième de seconde :

« C'est elle ! »

Et il y eut comme « un blanc » en elle, avec un petit affolement du cœur.

Elles se dévisagèrent, en même temps, et les deux cris jaillirent, comme d'une seule gorge :

« C'est toi ! »


Le passage clouté, au coin des Galeries La Fayette, à dix-sept heures, ce n'est pas l'endroit idéal pour la rencontre fortuite d'une mère et de sa fille, qui se sont perdues depuis plusieurs années, l'une ayant abandonné l'autre, lâchement !

En un tel endroit, comment avoir les réflexes qui conviendraient : pas le temps de s'arrêter, de lever les bras. Les insultes criées, s'il y en avait, se perdraient dans le brouhaha infernal ! Il faut avancer, atteindre un lieu plus calme pour « s'expliquer ». Il n'y a pas à dire, un passage clouté, dans la cohue, ça « dédramatise » la situation !

Les héros de Molière, ou des romans populaires, lorsqu'ils retrouvent leur enfant, perdu ou égaré, après une longue, très longue absence, ouvrent de grands bras, solennellement, des bras lyriques, entre lesquels leur progéniture retrouvée se précipite, avec des sanglots étouffés !

Rien de tel, avec nos deux héroïnes : elles restèrent, une fois plantées sur le trottoir, l'une en face

de l'autre, les bras ballants, balbutiant des : « Ah !
c'est toi ! Qu'est-ce que tu... » embarrassés, qui, de
toute façon, se perdaient dans le vacarme.

Gloria, la première, reprit ses esprits, et cria dans
l'oreille maternelle :

« On va dans ce café, on sera tranquilles ! »

Elle revit la scène, sous les grandes châtaigneraies
de Corrèze qui défilent, comme d'épaisses nuées de
feuillage nocturne, au-dessus de l'auto, que commen-
cent à balayer les lumières des phares qui remontent
les pentes.

Elles étaient entrées dans le bar « de derrière la
Madeleine », qui devenait, décidément, le lieu pré-
destiné de toutes les rencontres.

« Alors, comme ça, tu es à Paris, toi aussi, avait dit,
à peine furent-elles assises, Amélie Dupont à sa fille.

— Tout de même, dit celle-ci, tu aurais pu donner de tes nouvelles, depuis tout ce temps ! Je comprends la vie, maintenant surtout, bon ! Tu te rends
compte : toute seule à X..., sans rien savoir de toi !
J'aurais pu te croire morte ! Je t'en ai voulu. Ah !
oui, je t'en ai voulu !

— Je sais bien que j'ai eu tort. Oh ! oui, j'ai eu
tort ! »

Et Amélie parut sur le point de fondre en larmes,
sortit un mouchoir de son sac, le tordit entre ses
mains.

« Ne pleure pas, fit Gloria, plus agacée qu'attendrie, ne pleure pas, ça n'en vaut pas la peine, et puis on va nous remarquer. Qu'est-ce que tu fais, à Paris ? »

Elle ne s'en rendait pas compte clairement, mais sa situation de fille abandonnée lui donnait prise sur sa mère, elle la dominait, l'interrogeait, inversant l'ordre habituel.

« Heu, fit Amélie. Heu, je ne fais rien, enfin, je suis avec mon ami, tu sais, mon ami.

— Je m'en doutais. Et, qu'est-ce qu'il fait, ton « ami » ?

— Il travaille dans la coiffure, garçon coiffeur, quoi.

— C'est un bon métier. »

A la gêne, plus qu'évidente, que laissait paraître sa digne mère lorsqu'on l'interrogeait sur ses occupations, Gloria comprit qu'il serait plus charitable de ne pas insister.

« Et toi, qu'est-ce-que tu fais, se hasarda à demander Amélie, timidement.

— Je suis mariée. Je fais du théâtre. Je vais commencer à faire de la télé. Mon mari y travaille, d'ailleurs, à la télé. »

Oh ! elle n'avait mis aucune forfanterie à annoncer ce que sa malheureuse mère pouvait bien prendre pour des succès, tout de même, c'est d'une voix claire et assurée qu'elle le fit.

« Mariée... mariée, dit Amélie, avec une espèce de joie attendrie dans la voix, mariée. »

Ça la frappait beaucoup plus que le théâtre, l'état matrimonial de sa fille, et, là, son œil s'embua, ce coup-ci !

« Elle a bon cœur, quand même, ma vieille noix de mère, se dit Gloria, ça l'attendrit que je sois mariée, évidemment ! »

Elle la regardait, sa vache de mère, qui l'avait abandonnée pour « faire sa vie » avec un minable maquereau, une espèce de demi-sel, probablement ! Et la pitié prenait le pas en elle sur la rancune.

C'est un sentiment dégueulasse, souvent, la pitié, car c'est une forme commode, agréable, du mépris. Ça peut faire plaisir de pouvoir prendre quelqu'un en pitié.

Gloria n'avait pas manqué de faire cette petite descente en elle-même, et d'y trouver ce sentiment, plutôt moche, de satisfaction.

Et elle avait pensé que ça la vengeait suffisamment de sa mère « indigne ».

Leur entretien avait traîné, avec cette sensation de gêne désagréable, qui ne pouvait se dissiper.

« Il va falloir nous quitter, avait dit Gloria, au bout d'un moment.

— On se reverra, dis, quand même... implorait Amélie.

— Mais oui, bien sûr, comment faire ? »

Elles avaient décidé que tous les mardis, à seize heures, elles pourraient se retrouver dans ce même café.

Il n'avait pas été question d'échanger des adresses, de présenter mari ou « ami ». Tout cela ne fut pas, comme d'un commun accord sous-entendu, évoqué.


Et voilà... Gloria, dans sa bagnole qui file dans la

nuit tombée, revoit la silhouette d'Amélie, partant sur le boulevard, vers l'inconnu, vers un « connu » trop facile à deviner, hélas !

Et, pourtant, à la voir comme elle l'avait vue, promenant devant les Galeries, à peine fardée, presque élégante, personne n'aurait pu deviner qu'elle « vivait de ses charmes ».

Il pouvait rester un doute dans l'esprit de Gloria. Et pourtant... Elle ne pouvait imaginer, bien sûr, la métamorphose qu'accomplissait Amélie, se fardant, coiffant sa haute perruque rouge, mettant sa mini-jupe, ses bottes...

Quelque chose en elle, une espèce de vague appréhension peut-être, faisait qu'elle aurait préféré que cette rencontre n'ait jamais eu lieu avec cette mère qui, d'instinct, sentait qu'elle devait rester dans l'ombre; elles se verraient le mardi, au bistrot, clandestinement.

Cela créait en elle une sorte de malaise sourd, mal défini, qu'elle ne pouvait s'expliquer, qu'elle subissait, là, dans cette automobile qui filait dans la nuit, alors que le souvenir de cette rencontre avec sa mère venait la surprendre.

\*

Dans un patelin de l'importance de Sarlat, passé neuf heures du soir, toute vie s'arrête, en général. La ville se vide, les cafés sont fermés. La population laborieuse prend un juste délassement devant son poste de télé, avant d'aller dormir.

Heureusement que cette charmante localité du

Périgord présente un décor naturel de vieilles pierres, de vieilles maisons, de vieilles églises, de vieilles rues. Les cinéastes, les gens de télé, se sont entichés de Sarlat et de la Dordogne en général, où les châteaux, les petites bourgades du passé demeurées intactes, poussent comme des champignons.

Alors, dès le début de la belle saison, tous ces beaux endroits se peuplent d'une population de seigneurs, de gens d'armes, de mousquetaires empanachés, emplumés, vêtus d'armures de carton, de dames en hennins, en robes à panier, dames d'atours, dames de cour, pages et écuyers, toute une figuration des époques de l'histoire de France, avec une préférence marquée pour le Moyen âge, cependant.

Les populations locales se plaisent beaucoup à voir ces mascarades, parfois même on leur demande de participer à la fête cinématographique, déguisés en manants, avec une modeste rétribution, en plus.

Lorsque nos trois amis débarquèrent dans la « capitale de la truffe », des sunlights éclairaient violemment la place de la Cathédrale, la maison de La Boétie. On tournait quelque chose, ils ne savaient quoi.

Il leur fallait trouver leur hôtel. De nuit, dans un bled inconnu, ce n'est jamais marrant; ils pourraient se renseigner là, auprès des inévitables badauds parqués derrière des barrières.

« C'est des Suédois, ceux-là. Ils tournent des scènes de raccord, leur expliqua un jeune homme de la ville, sans doute passionné des choses du cinéma.

— Il en vient de partout, maintenant, faire des films en Dordogne. Vous êtes peut-être du cinéma, vous aussi, interrogea-t-il. Ah! de la télé. Oui, j'ai entendu causer de l'émission qu'on va tourner. »

Cet aimable jeune homme se proposa pour les accompagner à l'*Hôtel de l'Univers,* où la régie avait retenu de quoi les loger.

L'*Hôtel de l'Univers* se trouva être un établissement plus que modeste.

« J'étais sûr, dit Rastignac en le découvrant, que ça ne devait pas être un palace, avec un nom pareil ! Ce n'est pas la première fois que je pratique un *Hôtel de l'Univers.* C'est toujours un endroit sordide et minuscule. Il faut se méfier des noms ronflants, là comme ailleurs : ils cachent toujours une marchandise dégueulasse.

— Enfin, on s'en accommodera de leur Univers rétréci. A la guerre comme à la guerre ! » dit Félicité.

Les deux femmes eurent une chambre à deux lits. Leur premier soin fut de les rapprocher !

Rastignac se vit attribuer un galetas sous les toits.

« Nous sommes dans la grande tradition, mes chéries, fit-il, philosophe. L'Illustre Théâtre, dans ses déplacements, devait crécher dans des auberges encore moins reluisantes que ce boui-boui. Faut pas s'en faire, la vie est belle ! »

Ce fut une nuit presque campagnarde, sans un bruit, avec le vent sur les tuiles, dans les cheminées. Première nuit des amies, dans les lits rapprochés qui en faisaient un grand, pas trop confortable, il faut dire, car il y avait cette espèce de rigole entre les deux matelas, un petit vide sournois. Alors il valait mieux se réunir dans un seul des lits, le second constituant une sorte de banlieue. Autant dire qu'elles couchèrent plus qu'à l'étroit, dans une intimité si resserrée que leur nuit ne fut qu'une longue étreinte, même dans le sommeil.

*

Elles eurent le temps, le lendemain, de visiter les beautés de l'endroit. Rastignac leur servait de guide.

C'est vite vu, Sarlat, si l'on veut : les vieux quartiers s'étendent de part et d'autre d'une rue principale assez laide. Dès qu'on a quitté cette artère animée, c'est le Moyen Age. Des rues tellement étroites qu'elles sont des boyaux, en vérité, entre de vieilles demeures. Parfois un jardin fait la surprise de ses feuillages, de son ombre fleurie, dans cette austérité de pierres et de tuiles.

Le temps, à certains endroits, semble s'être arrêté dans une minute du passé. On a l'impression de circuler dans une ville fantôme. On s'attend à voir déboucher, au coin d'une ruelle, quelque personnage en haut-de-chausses, botté, à chapeau emplumé.

Grâce au cinéma, nous le savons, cela se peut. On peut se donner l'illusion d'être revenu quelques siècles en arrière, par un coup de baguette magique.

Elles eurent aussi le temps d'une balade dans la campagne. Les hautes collines, sur la vallée, se couronnent de châteaux, des hameaux se pressent à leurs pieds, dans le fond la Dordogne serpente entre de grands noyers; les falaises de calcaire se reflètent dans l'eau courante.

« Merde, alors, dit Félicité, à un moment où, s'étant arrêtés, ils contemplaient, muets d'admiration, la merveille, merde, alors ! Dire qu'on est là, devant tout ça, dans ce pays extraordinaire, pour balancer quelques répliques dans un truc à la con, dans un feuilleton pour diminués mentaux ! Tout de même !

— Qu'est-ce que tu veux, ma cocotte, nous sommes dans les « mass-média », faut s'y faire ! Et puis, parfois, c'est pas si mal, ce qu'on fait à la télé, après tout. Evidemment, c'est pas la fine fleur de l'avant garde, un feuilleton de « cape et d'épée », mais ça peut avoir ses mérites. Tu fais trop la fine bouche, mon chou. »

Le lendemain, ils devaient, tous trois, se rendre, tôt, très tôt à leur goût, dans la matinée, au château de Hautefort, où devaient se tourner les premières séquences.

C'était de la vie d'une demoiselle de Hautefort, née et grandie dans ce château, que traiterait, en la romançant, évidemment, le feuilleton télé.

Louis XIII avait follement aimé cette demoiselle, d'un amour malheureux; malheureux pour elle, surtout, qui, de désespoir s'était faite religieuse.

Cette passion du roi avait dû être d'une rare violence, car, comme chacun le sait, ce monarque n'était pas tellement « porté sur les femmes », et cet amour, peut-être platonique, est le seul amour « orthodoxe » qu'on lui ait connu.

Nos deux artistes étaient dans cette histoire, des compagnes de jeu de la jeune châtelaine, filles de régisseur, ou de paysan.

C'étaient de tout petits rôles, bien sûr, qui ne demandaient pas en principe beaucoup de boulot. Mais la télé a ses principes : répéter des heures interminables, ou, au contraire, faire attendre les participants des heures durant, pour, ensuite, bouler le tournage, dans les habituels désordres, précipitations, agitations, au milieu d'une nuée de « techniciens », assistants, scripts, maquilleuses, électriciens, une mêlée inextricable, des cris, des vociférations; bref, les malheureux acteurs, et autres participants sortent de là moulus, épuisés, à bout de nerfs !

Et ça recommence le lendemain, et les jours suivants, jusqu'à la fin, jusqu'à ce que le navet soit mûr !

Le lendemain de leur arrivée, les deux amies entrèrent dans le cycle infernal.

Elles rentraient le soir à l'*Hôtel de l'Univers*, fourbues, aphones, ne pouvant plus remuer ni pied ni patte.

A ce régime leur amour risquait de devenir résolument platonique, à l'instar de celui du roi Louis XIII !

*

La grande fièvre du tournage, heureusement, n'est

pas toujours constamment à sa plus haute intensité :
il y a des haltes, des repos, des rémissions, pendant
lesquels on peut se grouper pour bavarder, lier connaissance. Il y a aussi des matinées, ou des journées
complètes pour certains; merveilleuse détente, pro-
menades : c'est le bon côté du métier.

Jérôme Briscard, qui « dirigeait » l'histoire de ces
amours secrètes de Mademoiselle de Hautefort et du
triste Louis XIII, était, comme on dit vulgaire-
ment : « chaud de la pince ». Ou, si vous préférez :
un chaud lapin !

Sans prétendre avoir un droit de cuissage, bien
qu'il fût le spécialiste de ces feuilletons historiques,
où ce fameux et légendaire droit de cuissage joue
un rôle non négligeable, il n'en avait pas moins tendance à jeter son dévolu sur quelque figurante ou
actrice, avec une désinvolture toute seigneuriale.

La beauté blanche et rousse, les formes pleines et
suaves de Gloria l'avaient frappé, dès l'audition
qu'il avait supervisée, à Paris :

« Quel beau brin de fille, s'était-il dit, cet éclat
des chairs, ces cheveux roux, ça ferait son effet, couché sur l'herbe : nous tâcherons de l'amener promener au bois, en Périgord. Hé, hé ! »

La tendre liaison, qui n'était déjà plus un secret
pour personne, de la belle rousse avec sa copine si
brune, n'était pas pour le décourager, au contraire,
la difficulté l'excitait.

Tout en donnant quelques indications de jeu à
Gloria, il lui avait fait déjà des compliments : on ne
prend pas les mouches avec du vinaigre !

« Tu ne t'en tires pas mal, mon petit, pas mal du

tout. Tu feras quelque chose, si tu travailles, je te le dis !

— Chouette, jubila Gloria, voilà Briscard qui a l'air de s'intéresser à moi, j'ai de l'avenir ! »

Elle n'était pas assez gourde pour s'imaginer que c'était à son seul talent que s'intéressait le metteur en scène, elle verrait bien !

Briscard eut la chance de la rencontrer seule un matin dans les ruelles du vieux Sarlat.

Il consacrait cette journée, justement, à des « cadrages », allait visiter quelques endroits de tournage :

« Je t'emmène, dit-il à la belle rousse, je vais te montrer des endroits épatants, mais motus, bien entendu ! »

C'était épineux ! Quelle allait être la réaction de Félicité ? Tant pis, on verra bien, se dit Gloria, et elle accepta la proposition de Briscard. Elle n'avait pas le temps de réfléchir, c'était une occasion à ne pas laisser échapper !

*

Jerôme Briscard avait beaucoup plus de talent en amour qu'à la Télévision. C'est dommage pour les téléspectateurs, qui dégustent régulièrement les histoires sages, convenables, et sans invention de cet « honnête réalisateur ».

Malheureusement, l'amour n'est pas, a priori, un métier pour un homme : Jérôme exerçait le métier

de « réalisateur télé », et ne déployait ses autres ta-
lents que dans la plus stricte intimité, gratuitement,
et, il faut l'avouer, pour le plus grand plaisir, souvent, de ses partenaires.

Il avait besoin d'être seul pour préparer son travail, expliqua-t-il à Gloria, pour étudier les angles
de prises de vue, les plans, lorsqu'il choisissait les
lieux de tournage. La « solitude du créateur », en
quelque sorte... excusez du peu !

Mais une présence féminine à ses côtés lui était
indispensable, l'aidait, dans ses difficiles recherches.
Singularité du Génie !

Peut-être que Jérôme ne se prenait pas tout à fait
pour un génie : il faisait semblant. C'est un tic qui
se prend facilement, à l'O.R.T.F. !


Une chance avait servi Gloria, qui ne savait trop
comment s'en tirer avec Félicité pour lui annoncer
— sans lui dire où, ni avec qui elle allait, bien sûr
— son escapade de l'après-midi.

Félicité, au déjeuner, se plaignit d'une migraine
affreuse, horrible : elle avait besoin d'être seule,
d'aller quelque part au frais, sous des arbres. Quand
elle était dans cet état — il fallait l'excuser, et la
comprendre — c'était toujours ainsi, elle avait un
besoin absolu de solitude.

En réalité elle avait fait la connaissance — c'était
inévitable — de la « vedette » du feuilleton.

Annie Delarbre était une frêle et longue créature
blonde, aux longs cheveux, aux grands yeux bleus,
au teint pâle.

La beauté sombre de Félicité l'avait subjuguée, d'emblée. Il ne lui avait pas été difficile de lui parler, de lui faire des compliments, de lui donner le rendez-vous de cet après-midi.

C'était « la journée des dupes »; en quelque sorte, pour Gloria et Félicité !

## X

Eh, oui ! Gloria avait pu se convaincre que Jérôme avait un grand talent, un très grand talent !

Ça n'est pas si fréquent.

Ils avaient déambulé dans sa voiture de sport décapotable, sur des routes désertes perdues dans les bois, d'où, tout d'un coup, surgissaient un château de la Belle au Bois dormant, des hameaux, qui semblaient sculptés dans la pierre. Ils roulaient à toute petite allure. Des laboureurs au loin, qu'on entendait encourager leurs bœufs, d'une voix forte, en patois, des vieilles courbées et édentées, comme dans les images des livres d'autrefois...

Il y eut une montée, dans des pommiers en fleur, vers ce qui devait être un plateau sauvage et rocailleux :

« Tu vas voir le coin où je t'emmène, mon poulet. (Jérôme avait plaqué sa main sur la cuisse de Gloria), c'est fantastique, tu verras : Un vrai décor pour un roman noir, avec des sorcières, des apparitions... et tout ça est donné, en vrac, par la nature, ici ! Avoue que c'est chouette !

— C'est fantastique ! » approuvait Gloria.

Il ne lui faisait pas la cour, Jérôme; c'était le ton de la bonne camaraderie, avec, en lui, quelque chose « d'assuré », et une lueur qui s'allumait dans l'œil, un sourire parfois... et, en elle, une façon un peu « fondante », soumise, de se couler contre lui sur le siège de la bagnole, et de s'appuyer — un rien — en le regardant avec un air mi-amusé mi-tendre.

Enfin ils furent rendus : Jérôme arrêta l'auto au bord d'un chemin herbu. On devinait derrière des arbres, un peu plus loin, des ruines, quelques faîtages de toits pointus, à demi effondrés, des fenêtres sculptées ouvertes sur le vide, des murs dévorés par des plantes.

Le silence était total, impressionnant.

La merveille était, dans cette ruine (celle d'un ancien castelet) de trouver une énorme cheminée sculptée, blasonnée, presque intacte, qui subsistait seule, fantastiquement « présente » au milieu d'une grande pièce à demi ruinée, aux fenêtres béantes, au sol pavé de petits galets de rivière assemblés en rosaces. Des plantes sauvages grimpaient le long des murs, jaillies à travers le pavement disjoint. C'était une espèce de palais de rêve, une maison de fée que la nature reprenait, dévorait pierre à pierre, autour de cette noble cheminée qui subsistait seule.

« C'est formidable, s'exclama Gloria, tu vas tourner quelque chose là-dedans ?

— Bien sûr, mais en attendant nous y sommes seuls, tous les deux : c'est pas beau ça ? Ça te va bien, cette lumière de sous-bois, et ce décor. Tu sais que tu es vachement désirable ! Montre-toi un peu. »

Et il lui défit son corsage, mit à nu ses beaux seins de rousse à la peau laiteuse, l'appuya contre la cheminée, la tenant par les poignets.

Il s'avança vers elle, puis se recula, plissant les paupières comme pour savourer un spectacle d'art :

« Tu es belle ! »

Et il fit tomber les cheveux roux en cascade sur les épaules de Gloria. Elle se tendait en arrière, offrant les splendeurs de sa poitrine; et son visage prenait une expression théâtralement apeurée, et néanmoins elle souriait, d'un sourire ambigu, comme de plaisir anticipé.

Elle sentait les mains de Jérôme se durcir sur ses poignets, comme s'il voulait les imprimer dans sa chair.

Le désir était en lui; il le contenait, le durcissait dans cette contemplation où il s'absorbait :

« Allez, viens ! » et il l'attira à lui, fit tomber la jupe, d'un geste brutal, et, debout, se « manifesta », d'une main preste il révéla sa virilité.

Son désir était impérieux, et... spécifique !

Il abaissa, ses deux mains appuyant sur les belles épaules blanches, Gloria vers lui qui restait tendu, magnifique... et, de sa main sur la nuque de la jeune femme, il la fit s'agenouiller, et dirigea sa figure emprisonnée vers sa fièvre érectile !

Il n'était pas très grand, Jérôme, et il avait un nez

fort... qui trompe rarement sur la puissance virile de son propriétaire !

En l'occurrence : elle était « superbe », la virilité de Jérôme !

Il y avait du reître en lui : à peine assouvi, la vue de Gloria toujours agenouillée, immobile — elle semblait une belle captive aux pieds de son maître, comme on en voit dans les tableaux « fin-de-siècle » — sembla, tellement il y avait de grâce voluptueuse en elle, et comme blessée, ranimer sa flamme.

Il la releva, la pressa contre lui, vivante cariatide de chair chaude et palpitante sous ses paumes, l'embrassa fougueusement, la serra comme pour s'imprimer en elle, et la posséda, debout contre un des montants de la vieille cheminée.

C'était, dans ce décor de ruines traversé par l'air et le feu du soir, la possession primitive, sauvage, celle de l'homme fruste, du guerrier pendant le pillage... et cette possession fut longue, dans le temps aboli du crépuscule qui montait.

Gloria ressentait un plaisir fantastique, à la mesure de ce cadre légendaire, de cette étreinte brutale et tendre à la fois de l'homme affirmant sa force et sa douceur, dans la fièvre du désir.

*

Au repas du soir, Gloria et Félicité auraient pu — peut-être le firent-elles — apprécier réciproquement le cerne délicat qui auréolait leurs beaux yeux.

Féli — dont la migraine, disait-elle, s'était atténuée — avait passé cet après-midi dans la chambre qu'occupait Annie, la « vedette », à l'*Hôtel des Bisons et du Commerce réunis.* C'était le « quatre étoiles » de la cité médiévale.

Félicité n'avait pas en elle, heureusement, cet esprit d'envie et de basse jalousie — presque un esprit « de classe » — qui est celui de beaucoup de débutants, et que la différence de standing entre elle et Annie aurait pu lui faire ressentir.

Le charme, et les qualités « d'accueil », de son hôtesse lui auraient fait vite oublier ces mauvais sentiments, si elle les avait éprouvés.

Une tasse de thé chinois, exquisement parfumé, les introduisit à une charmante intimité, qui se resserra, très vite, sur un immense lit à baldaquin, où la frêle et blonde Annie prenait des airs enivrants d'Ophélie, d'une Ophélie qui ne demandait qu'à se noyer dans un fleuve de baisers, d'étreintes, de caresses.

Merveilleuse, sublime après-midi. Félicité la savourait encore rétrospectivement, en silence.

Quant à Gloria, elle portait en elle l'exquise fatigue des fougueux assauts de son infatigable amant, subis dans le décor sauvage et féerique du château de la Belle au Bois dormant, où elle n'avait pas dormi une seconde, la chère Gloria !

\*

Le milieu qu'est une équipe de télé en déplacement est un cercle fermé, et, là comme ailleurs, les potins circulent à l'aise, se chuchotent de bouche à oreille, selon une loi inéluctable, et finissent par arriver aux oreilles des principaux intéressés.

C'est ainsi que Félicité d'une part, et Gloria de l'autre furent charitablement prévenues de ce qu'il faut bien appeler leur infortune.

Il s'ensuivit une brouille, après une dispute qui arriva au bord des coups :

« Reste avec ton satyre de metteur en scène, c'est un moyen de faire carrière, putain ! hurlait Félicité.

— Va te noyer avec ton Ophélie à la manque, satyre toi-même », répondait Gloria.


Il y eut un déménagement; un galetas se trouva providentiellement libre, à l'*Hôtel des Bisons et du Commerce réunis,* où Félicité put se rapprocher de sa nouvelle idole.

Et Gloria reçut, clandestinement (mais tout le monde en jasait) son infatigable Jérôme à l'*Hôtel de l'Univers.*

## XI

ALFRED faisait ses débuts dans son nouvel emploi d'assistant-réalisateur avec une certaine morosité, pour ne pas dire une totale morosité.

D'abord, l'absence de Gloria lui pesait, et cet attachement qu'elle prenait pour son « amie » Félicité, qui ne pouvait que se renforcer dans leur intimité du travail en commun et de la cohabitation dans la liberté le chagrinait.

Liberté ! Eh ! oui, c'était le mot qui ne passait pas, car enfin, lui aussi, Alfred, jouissait de cette liberté des « vacances conjugales », et qu'en faisait-il de cette liberté, de cette vacance ? RIEN ! mais alors : rien !

Manque de pot, son premier boulot il le faisait dans une athmosphère épouvantable de bousculade, de retard à rattraper (comme d'habitude à la télé) et, comme il était tout neuf là-dedans, inexpérimenté, et qu'il était « le nouveau », et que, en plus, l'autre assistant était tombé subitement grippé, le pauvre Alfred était sur les dents, douze heures sur douze, sans débander.

C'est à l'état de loque, la tête bourdonnante, avec

les jambes qui flageolaient, trempé comme une ser-
pillière, qu'il rentrait le soir dans un logis vide.

Pas le temps d'essayer même de nouer une intrigue.
La « script » de son émission était une binoclarde aux
lèvres minces (il détestait les lèvres minces) et le reste
du personnel féminin était « distant », planait à des
altitudes incroyables au-dessus du pauvre assistant.

Comme il ne connaissait pas grand monde à Paris
— c'est commode de se faire des relations, quand on
« gratte » comme un forcené ! — le pauvre Alfred,
il ne se le cachait pas, séchait d'ennui, côtoyait les
eaux noirâtres de la mélancolie. C'est éprouvant, ça,
surtout dans une ville tellement agitée, où les gens
condamnés comme notre héros, à la solitude sentimentale, n'ont pas une minute de tranquillité, de silence, où se reposer un peu.

Les soirs où la fatigue était trop forte, l'ennui trop
pesant, Alfred demandait à sa bouteille de William
Lawson's de lui redonner un peu de goût à vivre,
quelque force, et la tête légère !

Les lettres de Gloria étaient bébêtes, anodines,
sonnaient faux, en plus : elle s'ennuyait de lui, trouvait son travail intéressant, le pays fort beau, les camarades gentils, elle se serait sentie un peu perdue
si elle n'avait pas eu Félicité, etc., etc. : balivernes
et platitudes ! On aurait dit une collégienne qui
écrit à ses parents, et à qui ça ne fait aucun plaisir,
comme on s'en doute !

« Bon Dieu, de bon Dieu ! mais elle me prend
pour un con, celle-là ! m'écrire ces fadaises; bientôt
elle me balancera des cartes postales : un grand bonjour de Sarlat ! C'est pas croyable ! »

Il se filait une grande rasade de whisky, allumait une cigarette, dont il tirait quelques bouffées rageusement, encore un coup de whisky : cigarettes, whisky et p'tites pépées... pas de petites pépées pour Alfred !

Les vapeurs de l'alcool commençaient à furieusement tournoyer dans sa tête, que la colère, à la lecture de la lettre de Gloria, avait déjà chauffée.

Il n'avait jamais eu, Alfred, ce que les bonnes âmes appellent : des habitudes d'intempérance, de « fâcheuses habitudes d'intempérance », pour parler tout à fait bien, c'est-à-dire comme les bonnes âmes ! Alors, évidemment, il tenait bien moins bien le coup que ces personnes sages et raisonnables, qui s'habituent, boivent sérieusement, avec application, beaucoup mais pas beaucoup à la fois, et, de ce fait, ne se jouent pas à eux-mêmes des mauvais tours, comme celui qu'était en train de se jouer sans s'en apercevoir, le cher Alfred.

Il était en train de se cuiter à mort, comme un Polonais, en tête-à-tête avec lui-même, ce qui est bien la pire façon de se soûler !

C'était une ivresse lucide, claire qui était en train de l'envahir, une ivresse abominable, mais gaie, optimiste !

S'il s'était arrêté là, ça aurait été parfait : il aurait pu sortir, engager la conversation avec des inconnus, avec qui il aurait eu une conversation extrêmement brillante; malheureusement, il dépassa, et comment ! les doses permises, et au-delà même !

Lorsqu'il sortit pour aller arpenter le boulevard, poussé par un mauvais démon (les démons sont toujours mauvais !) il avait cette démarche un peu

raide, ces traits fixes, où les « gens au courant » re-
connaissent cet état de cuite « monumentale » qui
tient son homme debout par miracle, la tête, elle, se
baladant ailleurs, au diable, exactement !

Quand on se trouve dans l'état où était Alfred
lorsqu'il passa devant les vitrines du Printemps (il
salua au passage, cérémonieusement, un mannequin : une jeune femme très brune qu'il s'étonna de
trouver là, assise devant une table à thé, alors qu'il
la croyait toujours à X...) eh bien, quand on se
trouve dans cet état merveilleux, il y a des tas de
« trucs » qui passent dans votre crâne, s'y installent,
y pensent, y parlent, et vous dictent des paroles et
des actions inconsidérées. C'est classique, on est
« pensé », on est « agi », tout va pour le mieux dans
le meilleur des mondes, les choses vous paraissent
d'une merveilleuse nécessité, d'une superbe logique,
d'une claire évidence.

« C'est le moment, se dit soudain Alfred (c'était
sa cuite qui pensait pour lui) d'aller commencer
cette enquête sur les bas-fonds : toutes ces dames ne
doivent pas prendre le thé dans une vitrine, j'ima-
gine; il doit y en avoir encore, dans le salon en
plein air, par là. »

Et une espèce d'aimantation, démoniaque, lui fit
tourner le coin de la rue que nous connaissons, il
prit ce tournant « en épingle à cheveux », dans un
beau mouvement mécanique de robot, et s'avança
vers la lumière qui brillait dans le lointain, à quelque vingt mètres !

Aïda « n'avait pas dérouillé » ce soir, à croire que les hommes avaient bu du bromure à dîner. Il y a des jours comme ça, comme dans tous les commerces, et, le lendemain on ne saura plus où donner de la tête (c'est une façon de parler, évidemment !).

La soirée était douce, le ciel clément. Aïda-Amélie prolongeait sa station nocturne, avec cet espoir tenace du dernier client providentiel, qui viendra, à la dernière minute, un peu soûl, et bourré de pognon. Ainsi le pêcheur à la ligne s'obstine, au-delà de toute raison, devant son bouchon immobile.

La patience de la vaillante tapineuse, alors qu'elle allait se décider à regagner son lit, parut vouloir être récompensée.

Un homme à la démarche raide (comme aurait pu marcher un mannequin sorti d'une vitrine, décidément !) s'avançait vers elle. Comme elle était seule, à cette heure tardive, il fallait bien qu'il avançât vers elle !

« Tiens, tiens, mais, on dirait... Mais oui ! C'est bien lui ! »

Elle comprit d'emblée, dès qu'il se fut arrêté en face d'elle, à quelques pas, qu'il était « fin soûl » : le whisky se répandait en effluves généreux qui ne laissaient aucun doute, ni la fixité de son regard, et un certain sourire figé.

Il tenta de s'incliner « cérémonieusement », et tituba en avant, dans les bras d'Aïda qui le retint en s'esclaffant :

« Ouille, ouille... mouille ! »

— Les pavés sont vachement mouillés, c'est glissant... il a dû pleuvoir cette nuit, c'est traître, les pavés ! »

Il avait la voix trop claire et trop haute, comme si, d'instinct, il avait voulu maîtriser un bafouillage :

« Vachement traître ! je suis tombé dans vos bras, continua-t-il, c'est la Providence, la Providence ! Je cherche, justement, un « interlocuteur valable », c'est pour une enquête que je fais, pour la télé. Car il faut vous dire que c'est au service de cette louable institution, la TELEVISION FRANÇAISE ! que je rôde dans la nuit, heu, je n'ai pas l'honneur de vous connaître. »

« Il est plus soûl que je croyais, réfléchit Aïda, et il ne me reconnaît pas ! Qu'est-ce que je vais en faire ? »

La chose la plus simple était d'aller le coucher. Dans son bon cœur, c'est la première idée qui vint à la péripatéticienne.

« Nous pourrions peut-être aller discuter dans un endroit plus calmé; il y a un hôtel à côté, suggéra l'ivrogne.

— Vous ferez attention de marcher bien droit, en passant devant le veilleur de nuit », fit Aïda, qui prenait son parti aisément, très aisément même, de rapatrier sur un lit d'hôtel le charmant neveu de M. Félibien, qui lui tombait littéralement dans les bras, poussé par la grande houle du whisky !

*

La vue du grand lit avait semblé, sinon le dégriser, du moins faire passer Alfred à tout un autre ordre de

préoccupations que celles qu'il avait exprimées sur le
trottoir : plus question d'enquêtes à mener, de télé,
pfuitt ! envolé, tout ça !

Il semblait découvrir soudain cette grande et
forte femme, ses énormes cheveux rouges, qui avait
l'air un peu embarrassée devant lui, lui souriait gau-
chement, ne sachant trop quelle attitude prendre :
ça le laissait perplexe.

Il lui semblait, vaguement, que ces traits, cette
grande bouche peinte, ces yeux-là aussi, lui « disaient quelque chose », lui rappelaient quelqu'un, il
ne savait plus. Et, après tout !

Il fut saisi d'un désir soudain : plonger dans l'immense lit avec cette belle femme inconnue, qu'il
était tout surpris de trouver avec lui dans cette
chambre. A quoi bon réfléchir !

Il s'allongea, et comme si cela allait de soi, il vit
la belle femme se défaire prestement de ses vêtements, et, après qu'elle eût, bizarrement, enlevé sa
masse de cheveux rouges de dessus sa tête, s'allonger
à ses côtés, l'aider à se dévêtir !

C'était merveilleux, simple et merveilleux !

Le désir battait en lui, fantastique, et ces chairs
opulentes qui se pressaient sur lui, cette bouche qui
commençait à le parcourir, délicieusement, il lui
semblait les reconnaître, et cette odeur un peu forte
de parfum, et l'odeur de cette peau, mêlée à celle de
la poudre de riz.

Il ferma les yeux, s'abandonna aux lèvres qui,
professionnellement, mais ardemment, s'emparaient
de lui, buvaient son émotion, sa fabuleuse tension.

Il ressortit à l'aube, à moitié dégrisé, dans le Paris fantôme des éboueurs et des chiffonniers.

Il rentra chez lui dans un état second, mal assuré sur ses jambes, la tête vide et claire, où battait une menace de migraine.

« Bizarre, se disait-il, bizarre. Il faudrait tâcher de me rappeler ce que j'ai bien pu faire avec cette bonne femme. D'où sortait-elle, celle-là ? Je n'y comprends rien ! »

*

A l'heure où le jeune assistant essayait de « se regrouper », avant de se livrer pour quelques heures à un sommeil réparateur, son oncle Félibien, tracassé d'une insomnie, se posait lui aussi des questions.

Et, ces questions, il se les posait, justement, à propos de la même personne que son neveu avait, quelques heures plus tôt, exalté par l'abus du whisky, forniquée avec une violence, une passion sauvage à demi inconscientes.

Il s'en voulait, le député, de cet attachement incompréhensible, jugé par lui dégradant, de cette passion funeste qui le liait à cette femme mûre, qui faisait commerce de son corps !

Etait-ce digne de lui de gagner, le soir tard, en se retournant pour s'assurer que personne de connaissance ne pouvait l'apercevoir, la rue où la belle rousse attirante faisait sa faction galante ?

Un homme dans sa position (il avait tendance,

M. Félibien, à s'exagérer son importance) était vulnérable !

Qui sait si des ennemis politiques — ils sont capables de tout — ne le faisaient pas suivre, surveiller ses faits et gestes, en quête de quelque faux pas, dont ils pourraient se servir pour lui nuire. Qui sait ?

Il ne se rendait pas compte que cette crainte dans laquelle il vivait, que les précautions, les ruses de Sioux qu'il employait pour « aller à ses plaisirs », entraient pour une grande part, justement dans son plaisir. Et qu'une liaison paisible, avec une « personne convenable », qui l'aurait attendu au coin du feu en tricotant, ne lui aurait pas donné ces émotions, ni n'aurait eu ce goût malsain et trouble, prodigieusement attirant, qu'il trouvait à sa passion honteuse.

Et, à repenser à ces choses, dans le lit où l'insomnie le tenait éveillé, une sorte de sentiment nostalgique le prenait.

Il ne pouvait empêcher que des visions suggestives, à la seule évocation d'Aïda, ne viennent le hanter. C'était un véritable envoûtement, une hantise de la chair ! Surtout si la vision exotique de la petite camarade martiniquaise qui partageait leurs jeux, à l'occasion, s'introduisait à son tour dans sa rêverie du petit jour.

Pauvre M. Félibien; il savait bien que, dans la soirée de ce jour qui pointait, il se glisserait, tel un vieux chat, en regardant par-dessus son épaule, dans la rue chaude où l'attendait cette chose qui, tout autant que l'ambition, gouverne le monde : la VOLUPTÉ !

Et tant pis si cette volupté-là n'était pas avouable !

D'ailleurs, est-ce qu'une volupté qui serait avouable en serait une, tout à fait ?

Certainement que non !

\*

Ce même soir, à six heures, l'oncle et le neveu prenaient l'apéritif à une terrasse du boulevard des Italiens.

Il leur arrivait de se retrouver, les jours où c'était possible, où l'un et l'autre étaient libres de leur fin d'après-midi.

Cela satisfaisait ce qu'il y avait « d'esprit de famille » chez Félibien. Son neveu et sa mère étaient sa seule famille. Alors, selon une bonne tradition (c'est nécessaire, les traditions, pensait-il) il sacrifiait quelques moments à son cher neveu, une fois par semaine.

Le neveu, lui, nous le savons, avait pour son député d'oncle une grande estime et une certaine affection, qu'il ne savait pas exprimer, mais qui n'en était pas moins vraie.

Et il lui devait beaucoup de reconnaissance, en plus; n'était-ce pas par lui qu'il avait sa situation, quelque peu brillante qu'elle fût ?

Et puis, quand on se sent un peu « paumé » dans Paris, avec une jeune femme que l'on sent devenir... heu... volage ! c'est réconfortant d'avoir un brave homme d'oncle avec qui prendre un Martini, à la terrasse d'un café, à regarder passer le monde en discutant de « choses et d'autres ».

« Tu as des nouvelles de Gloria, s'enquérait Félibien. Elle doit être contente de ses débuts au petit écran ?

— Oui, oui, j'ai des nouvelles. Je crois que ça marche, là-bas. »

L'oncle pensait, au ton un peu évasif de son neveu, que ses affaires avec Gloria ne devaient pas tourner bien rond. Ça ne l'étonnait pas outre mesure, car il avait une saine et irréductible méfiance envers les jeunes femmes des générations actuelles; il avait, là-dessus, des convictions instinctives, mal formulées, et qu'il puisait dans ce fond trouble que nous lui connaissons.

« Il sera vite cocu, ce brave Alfred, s'il ne l'est déja; pensait-il. Avec une évaporée, sortie de Dieu sait où, et qui veut faire du théâtre, du cinéma. Pauvre garçon, il ne se prépare pas des « lendemains qui chantent », avec sa Gloria ! »

Et il penchait vers son cher neveu des regards un peu attendris, des regards « d'oncle », mais où il y avait une ombre de satisfaction amusée :

« C'est amusant, toute cette foule, dit-il. Mais que de monde !... Mais que de monde ! Il n'y a qu'à Paris que le spectacle de la rue offre à ce point de l'agrément, tu ne trouves pas ? Ailleurs, ça n'est pas pareil : ça va, ça vient, mais ça n'a pas ce pittoresque, ce mélange incroyable. Ah Paris ! Elle reste unique, cette ville de malheur. La preuve, hein, c'est que nous y sommes ! tiens... tiens... »

Ce « tiens, tiens » était plus dit pour lui-même, en aparté, que destiné à son neveu, lequel, malgré tout, l'entendit, et son attention fut éveillée, son regard suivit celui de son compagnon.

M. Félibien venait de voir s'avancer sur le trottoir, à quelques mètres, un couple : c'était Aïda, accompagnée par un type brun à l'élégance éxagérée, trop brun, et qui avait, malgré, ou à cause de son élégance, cet air indéfinissable, en quoi se reconnaît le « ruffian ».

« Tiens, mais c'est cette femme qui était l'autre jour au bar avec l'oncle Félibien, se dit Alfred; et, en un éclair, il la reconnut, pour de bon, cette fois. Eh oui, c'était celle-là, celle-là même ! Ah, nom de Dieu de nom de Dieu ! »

Il n'avait qu'à imaginer la perruque rouge sur la tête de la passante, la farder outrageusement, la vêtir, mentalement, de la jupe au ras des fesses, des bottes lacées, c'était elle !

Il ne put s'empêcher de rougir.

L'oncle Félibien qui avait détourné vite son regard, avait l'air gêné, lui aussi.

Il n'était pas question de reconnaître sa « bonne amie », aurait-elle été seule, mais avec ce type, encore moins !

Aïda et son ami passèrent, sans voir personne, en apparence. Alfred fit comme s'il n'avait rien remarqué.

L'oncle Félibien parla du temps qu'il faisait, alluma une cigarette, chose qu'il faisait rarement (il fumait peu) et qui indiquait, peut-être, qu'il voulait prendre une contenance. Il n'y avait vraiment pas de quoi !

\*

« C'était ton micheton, à la terrasse, avec un jeunot, t'as vu ?

— J'ai vu.

— Qui c'est le jeune, peut-être son fils, non? Il est marié le gros ?

— J'crois pas.

— Peut-être qu'il est veuf, aussi bien, non ?

— Peut-être... »

Ça l'amusait, Bébert, cette rencontre. Il avait toujours son « affaire », en tête, bien sûr. Mais pour la mener à bien, faire les photos clandestines, en douce, il lui fallait la collaboration d'Aïda; l'attitude de celle-ci, son laconisme, l'agaçait :

« On dirait que ça te gêne, d'avoir rencontré le gros, lança-t-il, d'un air mauvais à sa « régulière ».

— Non, ça me gêne pas, fit Amélie. J'allais pas y sauter au cou, non ? et nous inviter à prendre l'apéritif !

— S'agit pas de ça ! Faudra voir, quand même, à me rencarder, s'y te file un rendez-vous. T'as qu'à y dire, toi, que ça te botte, une partie avec la négresse, que t'en as envie. T'arranges un rencard, tu m'affranchis, que je prépare tout. Et tâche de pas déconner, surtout ! C'est vu ?

— C'est vu ! » fit Aïda, avec un air résigné, et un petit soupir.

\*

« C'est bizarre... bizarre. »

M. Félibien, depuis la rencontre du couple, ressentait une sorte de malaise inexplicable, comme une appréhension, dont il n'arrivait pas à se débarrasser, depuis qu'il avait quitté son neveu.

Il n'y avait rien d'étrange, ni rien de contrariant à ce que Aïda passât avec un type à l'allure douteuse sur le boulevard. Rien ! Ce type était sûrement son souteneur, son « protecteur », rien que de bien banal. Alors ? Il ne comprenait pas, Félibien, ce qui pouvait lui donner cette sensation de vague appréhension.

Est-ce que, ce soir, comme il en avait l'intention, il irait voir la fille ?

Certainement ! qu'est-ce qui pouvait le gêner, là-dedans ? Rien; alors ?

\*

De son côté Alfred méditait sur la découverte qu'il venait de faire :

Ainsi il avait « fait des folies de son corps » avec la bonne amie de l'oncle Félibien, et celle-ci était une vulgaire, très vulgaire putain de carrefour !

« Fallait-il que je sois soûl, pour coucher avec ce boudin, et ne pas la reconnaître ! Tout de même, il a de drôles de goûts, l'oncle, il est bizarre ! Il aura une histoire, un de ces jours; le « copain » à la pépée, il me fait une drôle d'impression. Il faut se méfier des marlous, tous plus ou moins « indics », ça fricote dans tous les coins, ces mecs-là; il devrait faire gaffe, l'oncle. Enfin, c'est ses affaires ! »

Il avait, au fond de lui, un peu honte, Alfred.

Honte, surtout, parce que, depuis la rencontre devant le café, et la reconnaissance qu'il avait eue, la révélation soudaine des « égarements » de la nuit passée, il ne cessait, la mémoire lui revenant, de se rappeler la lamentable escapade, et... d'y prendre plaisir ! Hé oui : des images lascives de cette nuit repassaient dans sa tête maintenant, ne cessaient de l'assaillir, et le souvenir du plaisir qu'il avait eu l'affolait, rétrospectivement !

« C'est dégoûtant, se disait-il, le plaisir est là, aussi, et ce plaisir est d'une qualité, si je puis dire, qui fascine, qui attire, comme une drogue; c'est ça : une drogue ! »

Il souhaitait maintenant, plus encore, le retour de Gloria, qu'elle lui apporte sa fraîcheur, sa santé, son bel érotisme simple et rayonnant.

Il en avait besoin !

# XII

A Sarlat, les intrigues que l'occasion avait fait naître dans la troupe des modernes baladins, les amours
fugitives, s'étaient nouées et dénouées au hasard des
jours.

Les nécessités du tournage des aventures de Mademoiselle de Hautefort, les impératifs de toutes sortes, les exigences du métier mettaient tous les jours
Gloria et Félicité en présence.

Comment donner à une brouille amoureuse ce caractère abrupt et intransigeant qu'elle réclamerait,
comment n'échanger que des regards glacés et des
paroles qui ne le seraient pas moins, lorsqu'un scé-
nario, un plan de tournage, vous oblige à « jouer »
des scènes de pure et tendre amitié, enjouées, mi-
gnardes, caressantes, pleines d'éclats de rire, de
jeux ?

Le bouillant Jérôme, que le printemps gascon travaillait, sans doute, sans délaisser pour autant Gloria,
se dépensait ailleurs, avait jeté son dévolu sur une
ravissante jeunesse qui avait un bout de rôle, et s'intéressait à de charmantes demoiselles du pays qui
ambitionnaient de faire de la figuration.

Gloria ne souffrait guère de ces infidélités, mais elles l'humiliaient.

Elle devait, elle s'en rendait compte, ne pas trop bâtir de châteaux en Espagne, rêver d'une éblouissante carrière qu'elle devrait à l'attachement de son « réalisateur » d'amant.

« Les cordes qu'il faudrait pour se l'attacher, celui-là, ne sont pas encore tressées, ma pauvre fille », se disait-elle.

Et dans cette relative solitude sentimentale où la laissait le versatile Jérôme, elle se prenait à rêver à l'exquise régularité de ses amours matinales avec Gaston — son petit Gaston du matin, comme elle disait plaisamment — et elle louchait vers Félicité.

Une terrible nostalgie la poignait lorsqu'elle pensait aux heures qu'elle avait passées avec sa belle amie brune, et dont elle se disait, aux moments d'accablement, qu'elles ne reviendraient jamais !

Elle avait tort.

Elle connaissait mal Félicité, finalement.

Félicité était une nature ardente, une amoureuse à l'esprit conquérant, mais elle était aussi une inquiète, une tourmentée, capable de souffrir, à se croire délaissée. Elle voulait subjuguer, certes, dominer, régner sur les corps et sur les cœurs, mais elle voulait être aimée, avait besoin d'être aimée; c'était son faible, ça, et le côté d'elle-même qu'elle dissimulait le mieux, comme si elle en avait eu honte. En un mot, elle était, et plus encore qu'elle ne le croyait, une sentimentale.

Dans la situation où elles se trouvaient, Gloria et elle, c'était elle qui ressentait le plus de dépit, qui souffrait le plus de la trahison de l'autre, mais elle s'en cachait, ne parlait jamais à Gloria que sur le ton de la camaraderie, qu'elle était obligée de feindre pour « la galerie » et les besoins du tournage.

Gloria n'osait pas faire les premiers pas, essayer de renouer. A certains moments, où elles se morfondaient, si elle se trouvait en présence de Félicité, elle brulait d'envie de se jeter dans ses bras... mais elle lui donnait des regards d'indifférence.

Elles vivaient dans le plus total malentendu !

Félicité, le premier enthousiasme passé, n'était pas heureuse avec Annie. Elles étaient un peu de même nature, toutes les deux, des conquérantes, des passionnées. Mais Annie, sous son apparence de frêle jeune fille trop blonde, était un véritable don Juan femelle.

C'était au tour de Félicité de se sentir dominée, et, très vite et plus encore, elle ressentit qu'elle n'était qu'une foucade sensuelle, qu'un objet de plaisir, en somme, pour l'ardente et sèche Annie.

Et ce rôle, malgré le plaisir des sens, la passion physique, elle savait bien qu'il n'était pas pour elle, qu'elle n'était pas faite pour lui, que ce n'était pas sa nature.

Dégrisée, elle eut tout loisir d'observer mieux Gloria, à la dérobée, bien sûr. Ce n'était pas elle qui lancerait des regards énamourés, suppliants et mouillés à l'infidèle. Mais elle lançait des regards perspicaces.

Elle comprit que Gloria était délaissée, déçue, mais que son orgueil l'empêchait de le montrer. De toute façon, Gloria ne devait pas souffrir d'être délaissée par Jérome, trompée... ça se verrait !

Alors, un jour où elles étaient libres de leur après-midi, Félicité avait vu Gloria regagner sa chambre de l'*Hôtel de l' Univers.*

Un moment après elle monta, frappa; une Gloria surprise, qui n'en croyait pas ses yeux, vint lui ouvrir :

« Toi ! cria-t-elle.

— Oui, moi ! j'en ai marre de tout ça ! figure-toi; et de tes amours avec ce con, qui est en train de tourner une connerie ! Je vais t'apprendre à coucher avec ce type, moi ! »

Et une volée de gifles partit vers le visage de Gloria qui se protégeait de ses mains, saisie par l'attaque brusquée, par la violence sans préambule de Félicité.

Celle-ci se soulageait dans sa violence, c'était la détente !

L'amour a parfois de ces façons, de ces mauvaises façons, si l'on veut. Il s'exprime comme il peut; les gifles sont un de ses accessoires. C'est « très parlant », des gifles accompagnées d'insultes, de cris; ça fait du mal, et du bien, à qui les donne, et à qui les reçoit.

Il y eut les cris, puis les larmes ! Elles pleuraient ensemble, s'étreignaient, embrassaient leurs larmes.

Les vêtements légers volèrent vite à travers la chambre.

Elles retrouvaient leurs corps, après une si longue et si cruelle absence, avec ravissement.

Elles roulaient, tête-bêche dans le plaisir, mêlaient à leurs pleurs la rosée d'amour de leurs spasmes.

« Jamais plus tu n'iras me tromper avec un homme, dis. »

Le regard de Félicité était autant une imploration, qu'un ordre, et une menace; c'était un regard d'amour, aussi.

Jamais elles ne s'étaient autant aimées. Il avait fallu cette crise, cette brouille pour cela : rien n'est si simple !

Il restait quelques jours pour des tournages de scènes de raccord; Gloria et Félicité n'avaient pas grand-chose à faire, mais leur présence était nécessaire.

C'était merveilleux : le printemps donnait une chaleur douce et bienfaisante sur les arbres en fleurs, c'était un avril « aphrodisiaque », plein de murmures et de roucoulements d'oiseaux.

Rastignac les emmena un jour en balade, en auto, dans la merveilleuse vallée.

L'air, la lumière, scintillaient d'allégresse. Des nuages légers passaient dans le ciel, en haute altitude.

« Si on allait par là », dit Gloria à un moment, où ils arrivaient à l'endroit d'où part la petite route par où l'avait menée Jérôme, le jour fameux...

Ils n'y étaient pas revenus, depuis. Jérôme avait aussi renoncé à y tourner la scène qu'il projetait.

« Tiens, dit Félicité, il y a des ruines, là, derrière les arbres. Si on allait voir. Moi, j'adore découvrir des ruines, on a toujours l'idée qu'on va trouver un trésor. On y va ? »

Gloria sentit naître en elle une sourde envie, dès qu'elle entra pour la seconde fois dans ces ruines où elle s'était donnée au réalisateur. Comme ça paraissait loin, tout ça !

Comment se débarrasser de Rastignac ?

Elle voulait rester seule avec Féli, c'était un goût impérieux maintenant en elle :

« Je veux rester seule avec toi, ici, dit-elle à Félicité qui s'extasiait devant la grande cheminée sculptée.

— Il faudrait trouver un moyen de faire filer Rastignac. Trouves-en un. Tu le connais mieux que moi. »

C'était tellement simple : Félicité dit à Rastignac qu'elles avaient envie, Gloria et elle d'être seules, de se reposer dans ce merveilleux endroit, que lui, elle le savait, n'aimait pas rester longtemps au même endroit, qu'il n'avait qu'à aller se promener, faire de la route : il les reprendrait en fin de journée.

D'accord !

Il était mystérieux, Rastignac. Il partait, dès qu'il en avait l'occasion, seul au volant de sa voiture de sport, allait personne ne savait où, au hasard.

Les bonnes langues prétendaient qu'il avait des relations dans la région, qu'il avait dû s'acoquiner avec quelque jeune paysan, mais les gens disent tellement de choses !

« J'avais envie de te voir comme ça, là devant cette grande cheminée, qui a l'air d'un autel, comme ça, ma chérie. »

Et Gloria défaisait les cheveux de Félicité, les faisait tomber en torsades le long de ses belles épaules, défaisait son corsage.

Elle l'arrachait presque, ce corsage, mettait les seins admirables à nu, baisait leurs sombres boutons, à lèvres goulues, s'éloignait à longueur de bras pour se repaître de la vision qui la grisait, puis étreignait « son idole », roulait sa figure sur les seins dorés.

Elle défaisait la ceinture du pantalon de Félicité, mettait à nu l'objet de sa convoitise, le sombre bouquet moussu, le fruit de chair aux lèvres bistres. Elle s'agenouilla, alla boire, donner le plaisir de sa langue et de ses lèvres, ivre d'amour, de soumission !

Après que, dans un gémissement, un frémissement de tout son corps tendu, Félicité lui eut donné la rosée de son plaisir, elle resta agenouillée devant son amie, comme prostrée :

« Je suis ton esclave, dit-elle d'une voix rauque. Qu'est-ce qu'on fait aux esclaves, dis. On les fouette ! »

Elle avait ce désir insensé en elle. Elle leva un bras, tendit vers Félicité la ceinture — une mince lanière de cuir tressé — qu'elle avait retirée des « passants » du pantalon de son amie :

« Féli, par pitié... par pitié. »

Elle levait un visage brûlé par le désir, ce désir étrange qu'elle avait de souffrir par celle qu'elle aimait, de recevoir d'elle son plaisir dans la souffrance !

Félicité eut un sourire un peu cruel, de satisfaction et de désir, sur ses belles lèvres. Elle s'empara de la ceinture, et d'une main ferme, l'éleva en l'air...

Cet après-midi de passion et de folie avait, il semblait à Gloria, effacé jusqu'au souvenir de l'autre aventure, en elle.

Elle se sentait comme neuve, elle pouvait offrir à Félicité un amour que jusqu'alors, lui semblait-il, elle n'avait fait qu'effleurer, au fond duquel elle voulait aller, maintenant.

Comme elle aurait voulu rester avec Félicité dans ce·merveilleux pays de légende, seule avec elle, enfermées dans quelque vieille demeure paysanne, dans le silence, la quiétude, tout à leur amour !

Alors, quand elle pensait à l'imminent retour, à Paris, à leur inévitable séparation, elle avait un dégoût anticipé de ce qui l'attendait. Elle n'y comprenait rien : elle aimait bien Alfred, et elle n'envisageait plus que comme un sombre ennui de retourner à lui !

\*

Eh oui ! le « retour écœurant » avait eu lieu.

Un Alfred tout brûlant de désir et d'amour, d'un amour renforcé par le souvenir de son humiliante escapade, eut entre ses bras une Gloria bizarrement absente par moments.

Elle vibrait, certes, le plaisir la faisait toujours se tendre sous le poids de chair aimante de son mari, le visage renversé, où un sourire, comme une souffrance, dévoilait ses dents blanches; mais elle semblait « se reprendre » aussitôt, comme si son plaisir venait de lui être arraché, à son corps défendant en quelque sorte, et qu'elle ne fût pas d'accord !

Et cette situation, paradoxale et désagréable, n'alla qu'en se confirmant :

« Elle l'aime donc tellement, l'autre, sa Félicité, nom de Dieu ! J'ai l'impression qu'elle me subit, maintenant ! Gloria s'éloigne. »

Et le malheureux Alfred se morfondait, au bord de la neurasthénie.

Comme d'un commun accord — sous-entendu — ils ne parlaient jamais de Félicité; mais elle restait entre eux, comme un fantôme muet mais présent, constamment.


Dès qu'elle le pouvait, Gloria allait se réfugier dans les bras de son amie, qui la voyait, avec une sombre satisfaction, se détacher chaque jour un peu plus de son mari.

Elle n'allait pas jusqu'à souhaiter que Gloria quitte Alfred et vienne vivre avec elle, comme pendant ce merveilleux et tumultueux séjour en Périgord.

Elle n'allait pas jusque-là, la troublante magicienne, mais elle se prenait à évoquer cette possibilité :

« Ce serait un peu de bonheur, peut-être », se disait-elle, et elle regardait, songeuse, vers un horizon incertain et vague.

\*

mardi.

Glo.., se dirigeait vers le bar de la Madeleine; elle avait envoyé à sa mère une carte, de Sarlat, lui fixant le rendez-vous.

Elle était perplexe, songeuse, Gloria : quel besoin la poussait ainsi à revoir cette mère, cette épouvantable mère, qu'elle aurait mieux fait d'oublier, de laisser à sa vie d'ombre, cette mère qui volontairement avait disparu, l'abandonnant ?

Alors, lorsque les jeux sont faits, et de manière si catégorique, pourquoi reprendre les cartes ? Et pourquoi, je vous le demande : pour aller bavarder, échanger des banalités, avec cette gêne toujours entre elles, cette lourde hypothèque de la vie cachée — si peu, et si mal, d'Amélie. Alors ?

Comprenne qui pourra !

« 'jour, m'man. »

— 'jour, fifille. Alors, t'es contente... ton ciné ? Ton mari va bien ?

— Martini ?

— Martini !

— Il te va bien, ton p'tit chapeau, m'man. Tu as bonne mine, et, pourtant, t'es à peine fardée.

— C'est vrai, j'aime pas me farder, quand je sors. »

Elle avait rougi, en disant cela, Amélie-Aïda !

Sortir, oui; elle pensait soudain que ça faisait

« pensionnaire » en congé ! Comme ces femmes des bordels d'antan, qui prenaient l'air — et des vêtements — très « convenables » pour aller frayer, avec les « autres », leur jour de sortie.

Un nuage avait passé, imperceptible, dans les yeux de Gloria.

Il y avait un moment qu'elles échangeaient ces propos badins lorsque le beau Bébert fit son entrée !

Il était là par hasard, mais oui ! Tout à fait par hasard :

« La ressemblance, c'est bien ça, c'est bien ça ! » se disait-il tout en avançant vers les deux femmes.

Amélie n'aimait pas ça, mais pas du tout ! cette intrusion de « son Jules » dans « sa vie de famille » !

« Ah, te v'là toi, fit-elle, d'un ton qu'elle s'efforçait de ne pas rendre rogue, mais elle ne put empêcher son visage d'exprimer une sorte de résignation empreinte de fatalité. C'est Gloria. »

Et elle désignait à Bébert, sa fille, sans rien de plus; elle n'osait dire : une amie, pour compléter cette présentation vraiment très évasive.

« C'est Bébert, mon « ami », ajouta-t-elle, pour Gloria.

C'était commode ce « nom de guerre » de Gloria, qu'avait pris sa fille; ça lui évitait de signifier ainsi à Bébert que l'inconnue avec qui elle prenait un godet était sa fille; car « son ami » n'ignorait pas l'existence de la petite Germaine, qu'Aïda avait laissée derrière elle en quittant X... pour venir faire fortune à Paris sous un réverbère !

« Comme on se rencontre ! » fit Bébert, en s'asseyant à la table des deux femmes.

A un moment, Aïda-Amélie fit la gaffe, qui était inévitable : elle fit une allusion aux activités artistiques de Gloria, parla télé, ne put s'empêcher de dire que le mari de Gloria était, lui aussi, de la télé !

Et, là, elle eut comme une illumination : ce neveu de M. Félibien qui lui était tombé soûl dans les bras, un soir; mais, c'est qu'il avait parlé « de la télé » ! Alors : Félibien, ce neveu, Gloria, tout ce monde était de X... ! Donc ce neveu de M. Félibien avait toutes les chances de ne faire qu'un avec le mari de Gloria !

Elle en blêmit, la pauvre Amélie, comme si elle avait dévisagé soudain le visage nu de la Gorgonne !

Bébert aussi, faisait des recoupements, mine de rien.

C'était un homme subtil, industrieux et rusé, le Bébert !

Il savait pas mal de choses, beaucoup trop de choses.

Cette identification de cette Gloria, certaine maintenant, en fille d'Aïda et en épouse du neveu de M. Félibien, ça l'amusait drôlement, ce truc-là ! et ça l'intéressait plus encore !

Car il la savait, de la bouche même d'Aïda — elle lui disait tout — l'histoire de ce neveu qui avait promené sa cuite dans le lit où Aïda donnait ses réceptions intimes, recevait, en quelque sorte.

Ça, alors ! ça faisait un de ces imbroglios. Il en prenait son pied d'avance, le Bébert !

Il ne montra rien de ses pensées intimes, ne fit rien qui pût faire comprendre à ces dames qu'il était affranchi, et drôlement encore !

Mais Aïda se méfiait, à juste titre !

## XIII

Il aimait fouiner, Bébert, se « rencarder », bigler, filer les gens, savoir. Il avait une vocation rentrée, ce gars-là; il aurait fait un excellent détective privé. Il avait « l'étoffe ».

Il les avait, maintenant ces fameuses photos dont il espérait tant. C'était assez réussi : M. Félibien entre ses deux maîtresses d'occasion, la blanche et la noire, c'était pas mal chouette !

S'il avait eu une « culture artistique », Bébert, ça lui aurait rappelé ces scènes émoustillantes et franchement obscènes, les ébats d'un Silène et de nymphes des bois, tels qu'ont pu les représenter Jordaëns ou Rubens, sauf que le cadre de nature où s'ébrouaient les personnages de ces peintres était remplacé dans les clichés du ruffian par le décor sinistre à souhait d'une chambre d'hôtel borgne. *O tempora, ô mores !*

C'était un artiste, dans son genre, le ruffian. Il avait été séduit, d'emblée, par la beauté de Gloria, lors de leur rencontre — pas si fortuite que ça ! — au bar de la Madeleine.

Gloria tenait de sa chère maman son éclat blond et roux; il y avait entre elles « un air de famille », mais c'était autre chose, Gloria : le charme de la jeunesse, certes, mais un charme, un « chien », un sex-appeal d'une tout autre qualité !

Cette ressemblance, comme si la mère s'était projetée dans un miroir qui lui aurait renvoyé, magiquement, son image transformée, rajeunie et magnifiée, troublait beaucoup le beau Bébert.

Et son « sens artiste » se délectait aussi de cet imbroglio qui liait à leur insu ces gens si divers : Félibien, Gloria, Alfred, Aïda, qui avaient entre eux des liens de famille — mais ils n'en savaient rien, sinon Gloria — et, en somme, il en était un peu, lui aussi, Bébert, de la famille, et il se proposait d'en resserrer les « liens », à sa façon !

C'était un peu comme si le hasard avait rassemblé les pièces éparses d'un puzzle autour de la pièce centrale qu'était Aïda-Amélie.

La vie, le hasard, font ainsi de l'art, parfois; obscurément ça réjouissait l'esprit de Bébert.

De toute façon, il avait « vachement » envie de se « taper » Gloria ! Une sombre envie, qui le tenaillait.


Ça ne lui avait pas été difficile de savoir où elle habitait avec son mari, et que celui-ci se trouvait absent presque toute la journée, la laissant seule pour de longues heures.

Il s'était promis d'aller la surprendre.

Ce qu'il fit, un début d'après-midi où il avait pu

observer le départ d'Alfred, et que Gloria était toujours à l'appartement, selon toute vraissemblance.

« Toc, toc !

— Entrez. Tiens, c'est vous ! qu'est-ce qui... ? »

Elle pensa naïvement, un court instant, qu'il venait de la part d'Amélie.

Elle fut vite détrompée, et comprit !

« Je venais bavarder un peu, fit Bébert. Vous permettez — et il s'assit délibérément — de toute façon, j'ai à vous causer, oui, j'ai à vous causer.

— Ah !

— Voilà : votre mari, si je suis bien au courant,
il a un oncle, un certain M. Félibien Z. Bon ! Eh
bien, ce monsieur — je n'y vais pas par quatre chemins — il se pourrait qu'il lui arrive des ennuis, des
ennuis sérieux même ! Je ne peux pas vous dire
quoi. Et tout ça, ça retombera, aussi bien, sur votre
mari, vous voyez ? Je suis au courant de bien des
choses, oui ! »

Gloria était un peu interloquée. Elle laissa le
truand continuer.

« Ces ennuis, vous voyez, madame Gloria, eh bien,
je pourrais peut-être les leur éviter, à votre mari et à
son oncle; ça dépendra de vous. Vous me comprenez !

— Ah ! C'est un chantage ! ricana Gloria.

— Comme vous y allez, comme vous y allez ! »

Bébert s'était levé et s'avançait vers Gloria, souriant, un peu fat :

« Il vous suffit d'être gentille avec moi, c'est pas
désagréable, vous savez. »

Et il avançait les mains, voulait la saisir par la taille.

Elle se recula :

« Non, mais, vous n'y pensez pas ! Qu'est-ce que vous croyez ! »

Elle se sentait prise d'un vertige : une envie soudaine de tomber dans les bras de ce beau type, qui lui faisait peur et l'attirait en même temps ! Oui, une espèce de vertige, de tentation !

Mais elle se reprit, se raidit en elle-même, dans un sursaut, se crispa :

« Non, ce n'est pas possible, se dit-elle... ce n'est pas possible ! »

Et elle repoussa le type :

« Vous allez me foutre la paix ! Compris. Figurez-vous que je m'en tamponne de l'oncle, d'Alfred, je m'en fous ! Et puis, je couche quand j'en ai envie; et vous, j'en ai pas envie ! Allez, bas les pattes ! »

Comme Bébert voulait la forcer, avançait menaçant, elle lui balança, vachement, sans réfléchir, un grand coup de genou, sec et dur.

Le mec blêmit, se courba sur son bas-ventre meurtri :

« Je te revaudrai ça, salope !

— Si vous insistez, j'appelle au secours ! » cria Gloria.

Bon. Bébert allait abandonner.

Seulement, avant de sortir, il lança d'un trait, la figure mauvaise, dans un rictus :

« Si ça peut vous intéresser, eh bien, votre mari, Alfred, oui, eh bien, il est allé se la taper, un soir,

Aïda, tel que je vous cause; pendant que vous étiez en province ! Tout une nuit qu'il y a passé ! Ça ne sort pas de la famille ! »

Il lança cette dernière phrase avec un rire mauvais, et claqua la porte.

Gloria s'effondra dans un fauteuil.

Elle tremblait de rage, de honte !

Alfred, sa mère ! Ce maquereau qui venait faire Dieu sait quel chantage ! tout ça tournait dans sa tête, à une vitesse folle, elle avait comme une nausée, elle sentait qu'elle allait avoir une crise de nerfs.

Elle demanda au cher William Lawson's de lui remettre un peu de clarté dans la tête; elle se versa une grande rasade de whisky, qu'elle avala d'un coup !

Elle eut envie de pleurer, fut secouée d'un sanglot nerveux.

« Il faut que je voie Féli, tout de suite, il n'y a qu'elle qui... »

C'était son réflexe, désormais : voir Féli, se jeter dans les bras de Féli, pleurer dans les bras de Féli, se faire consoler par Féli.

« Mais c'est un vrai roman, tout ça, ma pauvre chérie ! Qu'est-ce que je dis : un roman ? C'est du théâtre, du drame, c'est Shakespeare ! Non, je ne me moque pas, mon poulet, mais non ! »

Félicité jouait son rôle de consolatrice avec énormément d'autorité, et avouons-le, de plaisir; ça l'amusait follement, au fond, que le mari de Gloria se

trouve en mauvaise posture, lamentablement inces-
tueux, l'oncle politicien, et polisson, menaçé de
chantage par un affreux marlou : mais c'était splen-
didement théâtral, tout ça !

Pauvre petite Gloria, elle la plaignait d'être fourrée dans ces histoires grotesques, et elle était bien
contente de l'avoir, là, contre elle, pelotonnée : sa
main commençait à devenir une main de moins en
moins amicalement consolatrice pour devenir une
main amoureusement caressante, et ses baisers aussi;
elle allait bien la consoler, sa Gloria chérie !

\*

M. Félibien contemplait d'un œil navré la miséra-
ble photo qu'il venait de recevoir, accompagnée
d'une lettre au style barbare mais résolument menaçant.

Il s'étalait dans toute sa gloire, sur le papier glacé,
entre les deux courtisanes : la blanche, trop blanche,
la noire trop noire, et lui... lui : un silence de Bal
des Quat'z'Arts !

Ça l'affolait de se voir comme ça — on ne se voit jamais dans ces états-là, ou alors, oui, mais avec « complaisance », passons ! Alors, se découvrir sur une mé-
chante photo, à froid, le matin, après le petit déjeuner : c'est plutôt affligeant !

Ce fut son premier réflexe.

Le second fut d'un affolement, d'une panique brutale, mais passagère, vite dominée :

« Ouais, ouais, mon gaillard, on va trouver à qui
parler ! Je connais la méthode pour faire taire les

petits maîtres chanteurs à la manque, c'est pas difficile ! »

La colère le gagnait maintenant, une bonne colère, excitante et apaisante :

« On allait voir ce qu'on allait voir ! »

Il se demanda, tout de même, si Aïda était dans le coup et se répondit que, sans doute, non ! Néanmoins, elle était solidaire, qu'elle le veuille ou non. Tant pis !

Ça le chagrinait un peu, de devoir sacrifier Aïda la rousse.

Il avait des relations puissantes, Félibien.

Il alla expliquer sa petite affaire à un « ami sûr », qui lui devait de la reconnaissance, et qui était plus au fait que lui des « détours du sérail » du monde politique.

L'« ami sûr » fut bien amusé par l'aventure, la mésaventure de Félibien Z.

Il lui promit de régler ça au mieux, en douce, efficacement.

*

Lorsqu'il rentra chez lui, le soir, Alfred trouva le nid vide, et un mot laconique, mais explicite, que lui avait laissé Gloria :

« C'est infâme ! Je sais tout. Pauvre con ! baiser Aïda, cette grognasse de carrefour ! Tu me dégoûtes : je fous le camp ! Je reviendrai quand je serai calmée, si je me calme ! Gloria. »

« Merde, merde, merde ! Qui a bien pu ? »

Il ne comprenait rien, le pauvre Alfred :

« Elle doit être chez Félicité. Elles se moquent de moi, à l'heure qu'il est. Que faire ? »

Il n'avait pas le courage d'aller affronter la colère de Gloria.

Il s'abandonna à un morne désespoir, en tête-à-tête avec une bouteille de William Lawson's.

*

Bébert somnolait sur son lit, ce midi.

Aïda était allée faire des courses, et ne rentrerait pas pour déjeuner.

C'était le Grand Jour : à dix-sept heures Bébert devait se rendre, son jeu de photos et le négatif en poche, dans un petit bar très discret : on lui remettrait une enveloppe en échange du paquet de photos, la vie était belle !

Eh ! oui, la vie était belle !

« Entrez ! »

On venait de frapper deux coups, assez peu discrets, à la porte.

C'était deux solides gaillards, dont il connaissait un de vue, et aussi de réputation, Bébert.

Cette reconnaissance du « Gros Marcel » lui fit froid dans le dos. L'autre bonhomme, il ne le connaissait pas.

C'était il ne pouvait pas le deviner, évidemment, un détective privé, qui s'était adjoint à la colla-

boration du gros Marcel, un caïd, bien connu du
« milieu », où il « faisait la loi ».

Le « Gros » n'avait rien à lui refuser; on est parfois obligé de « composer », même si on est un
« dur » garanti, et redouté !

« Qu'est-ce que c'est ? s'enquit Bébert, d'une voix
qu'il s'efforçait de rendre assurée.

— Ça va être vite vu, mon gars, fit le gros, qui
semblait devoir mener l'entretien. Vite vu ! Tu vas
nous refiler illico, le pakson de photos, avec la pelli-
cule. Et discute pas, surtout. Bon ! »

Il passa à son compère l'enveloppe que, après un
semblant d'hésitation, lui tendit Bébert.

« Et, ajouta le gros, si, des fois, tu en aurais gardé
une, et que tu l'enverrais, à des gens, on sait jamais,
hein ? eh bien, c'est moi qui réglerais l'affaire ! C'est
vu ? Bon ! Autre chose : tu vas te tirer de Paname,
avec ta pouffiasse. A Marseille que t'iras. On saura si
tu y es. Et tâche de te tenir peinard, sinon ! »

Bébert savait que les menaces du Gros n'étaient
pas vaines. Il lui fallait encaisser le coup, sans rien
dire : un truand qui disparaît subitement, ça n'inté-
resse personne. Il tenait à la vie, tout de même, Bébert !

« A la revoyure, fit le Gros Marcel, sans se dépar-
tir de son calme « Olympien ». Et tâche à savoir
que pour faire chanter les « gros », il faut se lever
matin : t'es un rien trop cloche pour ça ! Allez, sans
rancune !  »


En sortant de l'hôtel, où s'écoulaient les jours —

moins paisibles aujourd'hui que d'habitude — de
Bébert, le Gros Marcel prit congé du « privé » :

« Allez, au plaisir !

— Merci, et à charge de revanche ! » fit le mystérieux personnage qui n'avait pas soufflé mot, pendant l'entretien.

Après le départ du caïd, il ouvrit l'enveloppe, en
retira une photo, qu'il glissa négligemment dans la
poche intérieure de son veston :

« C'est facile à re-clicher : je vais faire faire ça.
On ne sait jamais, ça peut servir, des fois ! »

Eh, oui, ça « pourrait re-servir », si M. Félibien,
quelque improbable que ce fût — faisait une ascen-
sion vers les hautes sphères de la société !

Comme quoi, il faut savoir choisir ses relations,
surtout lorsqu'on n'est pas, comme aurait pu dire
M. Félibien, « n'importe qui » !

*

Tout le monde restait un peu hébété après ces péripéties farfelues; chacun ruminait de son côté.

L'oncle Félibien, définitivement rassuré, reprenait
peu à peu de sa superbe.

Alfred avait habilement tenté un rapprochement
avec Gloria, qui commençait à trouver que sa cohabitation avec Félicité devenait, comment dire, pe-
sante !

C'est difficile de rester trop, trop ensemble, dans un local exigu, malgré l'amour !

Félicité avait un caractère furieusement indépendant, sauvage même, et le faisait sentir.

Gloria se sentait un peu perdue dans « l'amour fou ».

Elle eut vite la nostalgie de ses matinées paisibles, des chaudes étreintes matinales et maritales d'Alfred, des petites visites impromptues de son gentil voisin, ardent et discret.

Oui, elle faisait un petit retour sur elle-même...

Décidément elle était faite pour l'amour conjugal, et... l'adultère bourgeois, et les fantaisies du demi-jour, avec Félicité, de préférence !

Elle commençait à pleurer son confortable « paradis perdu ».


Alors, lorsqu'Alfred, repentant et honteux, lui fit signe, elle envisagea sérieusement de se laisser attendrir, après lui avoir un peu « tenu la dragée haute », pour le punir !


Ce soir, ils avaient rendez-vous, Alfred et elle, pour voir une projection privée de « un Amour de Louis XIII ».

Félicité ne voulait pas y aller. Elle boudait, n'avait aucune envie d'aller se voir dans « cette connerie » !

C'en était une !

Dans l'ombre de la petite salle de projection, Alfred et Gloria se réconciliaient en « visionnant » le navet sentimental qui défilait sur l'écran.

Les acteurs y étaient « dirigés » de telle façon, par le « génial » Jérôme, qu'on aurait dit un film américain de « série B » mal doublé.

C'était navrant !

« Qu'est-ce que ça peut faire que ce soit con, ce truc-là, se disait Gloria, je mets le pied à l'étrier. »

Sur l'écran, justement, un Mousquetaire enfourchait une vieille haridelle, et « s'envolait » dans un semblant de galop.

Le roi Louis XIII avait l'air encore plus « efféminé » que ne peut le laisser supposer une légende malveillante.

C'était affreux !


A la sortie, des gens congratulaient Jérôme Briscard, qui avait l'air d'y croire, et se rengorgeait.

Il fit un petit signe protecteur, du bout des doigts, à Gloria.


« Qu'est-ce qu'on fait ? » demanda Alfred à Gloria, lorsqu'ils furent sur le trottoir.

Elle le regarda avec un petit air amusé, mi-railleur, mi-attendri :

« On rentre chez nous, grosse bête, et on va faire l'amour, tranquillement ! »

## ÉDITIONS DU PHÉNIX

14, rue Daniel Féry — 94800 VILLEJUIF

Nos ouvrages sont disponibles dans toutes les bonnes librairies et les dépositaires de presse de France, Suisse, Belgique et Espagne.

Si votre marchand habituel ne peut vous procurer un titre manquant, adressez-nous le bon de commande du verso.

Aucun envoi n'est fait contre-remboursement.

*Voir au verso*

## BON DE COMMANDE

Veuillez me faire parvenir les livres suivants que je n'ai pas trouvés chez mon marchand habituel :

CUPIDON N° . . . . . . . . . . . . . . . . . .

. . . . . . . . . . . . . . . . . . . . . . . . . . . . .

N° de remplacement : . . . . . . . . . . . . . .

TOTAL : . . . . . . volumes

au prix de 9, — Frs. F. + 1, — Fr. de port soit 10, — Frs. F. par volume.

Ci-joint chèque banquaire, mandat, ou chèque postal de Frs. . . . . . . . . . .

Nom . . . . . . . . . . . . . . . . . . . . . . . . . . .

Adresse . . . . . . . . . . . . . . . . . . . . . . . . .

. . . . . . . . . . . . . . . . . . . . . . . . . . . . . .

Ville . . . . . . . . . . . . . . . . . . . . . . . . . . .

Code postal . . . . . . . . . . . . . . . . . . . . . .

ACHEVÉ D'IMPRIMER SUR
LES PRESSES SPÉCIALES
DES ÉDITIONS DU PHÉNIX

Dépôt légal n° 264

2e trimestre 1974

— Imprimé en France —